NI LE LIEU NI L'HEURE

GILLES PELLERIN

Ni le lieu
ni l'heure

nouvelles

L'instant même

Maquette de la couverture : Anne-Marie Guérineau

Illustration de la couverture : Rafael Sottolichio, *Paysage américain n° 73* (détail), 2003, huile sur toile (91 × 137 cm)

Photographie : Rafael Sottolichio

Nous remercions la galerie Madeleine Lacerte pour son aimable collaboration.

Photocomposition : CompoMagny enr.

Distribution pour le Québec : Diffusion Dimedia
539, boulevard Lebeau
Montréal (Québec) H4N 1S2

© Les éditions de L'instant même

L'instant même
865, avenue Moncton
Québec (Québec) G1S 2Y4
info@instantmeme.com
www.instantmeme.com

Dépôt légal
Bibliothèque nationale du Québec, 2004

Catalogage avant publication de la Bibliothèque nationale du Canada

Pellerin, Gilles, 1954-

    Ni le lieu ni l'heure

    Réédition.
    Éd. originale : 1987.

    ISBN 2-89502-191-0

I. Titre.

PS8581.E394N54 2004   C843'.54   C2004-941812-X
PS9581.E394N54 2004

L'instant même remercie le Conseil des Arts du Canada, le gouvernement du Canada (Programme d'aide au développement de l'industrie de l'édition), le gouvernement du Québec (Programme de crédit d'impôt pour l'édition de livres – Gestion SODEC) et la Société de développement des entreprises culturelles du Québec.

*Observez cette série de cellules ;
elles sont fermées par des grilles en
fer inaltérables, car la souffrance de
ceux qui y séjournent doit pouvoir
être surveillée par des gardes.*

Giorgio MANGANELLI,
Centurie.

LA FAVEUR DE LA NUIT

L'existence et le charme

En dépit de la chaleur, pour rien au monde je n'aurais pris un taxi afin de gagner mon hôtel de la haute-ville. J'étais horrifié à la perspective d'y retrouver, accrochée au rétroviseur, une de ces plaquettes odorantes qui laissent sur les vêtements, les cheveux et même la peau leur écœurante émanation. Par souci antiseptique autant que par habitude, j'allumai la cigarette depuis trois heures différée, comme si la combustion âcre pouvait chasser les relents douceâtres de l'express de Québec de 18 heures.

Presque dépourvu de bagages, mon séjour ne devant pas dépasser deux jours et les dossiers devant m'être transmis à la réunion du lendemain, je tenais à monter à pied, à découvrir lentement cette ville haut perchée où je n'étais plus venu depuis l'époque des manifs. J'avais de vagues souvenirs d'escaliers de fer forgé, mais sans doute m'étais-je mal orienté, car je me retrouvai plutôt au pied d'une décevante et interminable suite de marches de bois, coupée de paliers intermédiaires dont je compris vite l'à-propos, mauvais fumeur que je suis, cherchant mon souffle dans le panorama

sans cesse élargi de quartiers dont je n'avais jamais
soupçonné qu'ils fussent si vastes. D'un palier à
l'autre, des images que plus tard je saurais attri-
buer à Saint-Malo, à Charlesbourg, à Limoilou,
à Giffard et à Saint-Roch arrivaient difficilement
à percer l'air humide et dense. Comprenant alors
que je m'étais dirigé trop à l'ouest, je me laissai
pénétrer de la placide excitation du voyageur
découvrant qu'il devra traverser un quartier inconnu avec l'attention sereine due aux choses
ordinaires. Il n'y aurait cette fois ni cris, ni foule,
ni chants patriotiques, que des gens cherchant à
tirer le meilleur parti possible de la nuit naissante
et de la fraîcheur qu'on en escomptait.

Arrivé au sommet de l'escalier, je vis que
je n'étais pas au bout de mes peines, que la rue
adjacente à un curieux et massif ouvrage militaire montait à pic, comme si la haute-ville ne se
concevait qu'à la verticale. Dans la demi-heure
suivante, je devais d'ailleurs découvrir de-ci de-
là, non sans plaisir, des côtes bordées de trottoirs
en escaliers. Elle était donc réelle cette ville dont
j'avais désappris l'existence et le charme !

Je m'attendais au défilé clairsemé des habitants en quête de fraîcheur en bouteille chez les
dépanneurs et voilà que je découvrais un réseau
serré de rues animées mais calmes. Des ballons,
ces grappes buboniques qui rendent le regard
idiot et le verbe zézayant, étaient pourtant collés
çà et là aux fenêtres, mais sans doute l'étaient-ils
depuis assez longtemps pour s'être fait oublier.

On nous avait épargné les clowns et autres créatures à sociabilité agressive dont je crains toujours qu'ils n'infestent mes rêves comme les larves tropicales qui s'immiscent sous les paupières endormies et qu'on n'arrive plus à extirper.

Je suis plutôt puritain sur ces choses, je hurle quand j'entends dire que nos sociétés occidentales ont perdu le sens de la fête, je tremble à l'idée que l'on rassemble des centaines de milliers de personnes dans les rues pour leur donner à voir une coupe sportive. Aussi je me serais tout de suite enfui si j'avais suspecté la moindre Saint-Jean à retardement. Mêlées aux panneaux insolites, oubliés de l'hiver précédent, mettant les piétons en garde contre les chutes de glaçons, des pancartes discrètes souhaitaient les meilleures choses du monde aux coopératives d'habitation du coin. Le quartier, probablement vieux comme ce siècle, échappait à la décrépitude par le travail de ces gens qui ce soir arrosaient leur réussite.

J'aurais eu peu de mal à me convaincre que je rêvais. J'étais touché par cette célébration de vertus que je n'ai pas. Je ne me rappelle pas m'être déjà servi d'une égoïne et l'idée que je pourrais le faire en groupe relève de la plus haute aberration. Le mérite est toujours plus beau chez les autres et là justement est la question : j'aurais un mérite *fou* à promener mon asociale maladresse d'un chantier à l'autre et à rédiger des procès-verbaux le soir et la fin de semaine alors qu'ils m'empoisonnent déjà l'existence de neuf à cinq.

À travers la cacophonie des disques jouant dans chaque maison, une mélodie surnageait de loin en loin, simple mélodie au piano rendue aigrelette par la radio. Elle disait des choses simples, dans une tonalité acidulée qu'en un autre temps j'aurais réprouvée, elle disait le bonheur d'être ensemble, ces choses que je refuse habituellement d'entendre. J'aurais voulu entrer partout où ces doigts sur un clavier invitaient à la réunion, j'aurais voulu être autre que ce que je suis, ne plus redouter les promiscuités d'occasion, m'y jeter sans attente comme un flâneur aux puces cherchant moins la bonne affaire qu'un spectacle social, entrer comme si j'y étais convié dans ces maisons que d'abord j'avais toutes confondues, où maintenant, en suivant de l'œil une musique, je distinguais des portes hautes surmontées d'impostes, de surprenants oriels, des corniches joliment ouvrées, des toits Mansart, des appentis habités, des gars et des filles imprudemment assis sur le rebord des fenêtres ouvertes.

Je découvrais aussi des rideaux à ce que j'avais d'abord pris pour des hangars ou des garages, comme si le pire devait fatalement s'aboucher au meilleur. Je me sentis troublé par un jeune homme hébété suçant sa pipe de hasch sur un cube de béton faisant office de perron. Je lui en voulus de me renvoyer l'image de ma propre solitude et de souscrire au culte collectif du haschisch, pire : de faire usage d'une substance que je n'associais plus qu'à la sordide criée de la drogue sur la voie publique. Comme si je n'éprouvais déjà pas assez les misères de ma nature sauvage et pudibonde ! Aussi je jetai mon esprit sur un petit groupe accoudé à l'entrée d'une porte cochère. La conversation n'était qu'un murmure de plus dans la rumeur nocturne, mais je la devinais amicale. À moins que ce ne fût l'effet magique de cette porte cochère ouverte sur les ténèbres, sur les mystères des cours encloses où je pressentais la frénésie des galeries montant au ciel.

J'aurais voulu m'excuser auprès d'eux de mon retard, user de ces formules de politesse affectueuse qui rendent la vie civile acceptable. On serait allé me chercher un rafraîchissement, j'aurais dit que oui, j'avais fait bonne route même si l'autobus empestait le sent-bon, je me serais fait reconnaître de la jeune fille blonde tout de blanc vêtue de qui irradiait une lueur spectrale mais douce sur le gouffre noir du porche. Je viens trop peu souvent à Québec, la dernière fois j'étais barbu et tout, tu vois le portrait, mais cet automne sans doute quelques dossiers. Et toi, Christine, qu'est-ce que tu deviens ?

Je n'en dis rien, je continuai mon chemin, je n'étais que ce que je suis, un désir timide et muet logeant à même un horaire où il était prévu que j'arriverais à l'hôtel, monterais à ma chambre prendre une douche qui me débarrasserait de toutes les odeurs, mais qui ne m'en débarrasserait pas puisque je m'allongerais ensuite suant sur le lit, fumant cigarette sur cigarette sous prétexte d'annihiler le triste parfum de la lavande synthétique des draps empesés, regardant à la télé des flics interpeller des fêtards et leur en mettre plein la margoulette parce qu'un Chicano leur a vendu de la dope, me demandant si Los Angeles existe toujours quand la télévision interrompt ses émissions, tout pour oublier une conversation amicale que je n'avais pas entendue sous une porte cochère, le spectre aimable d'une nuit d'été.

Je ne sais pas très bien à quel moment j'ai fermé le téléviseur ni même si j'étais en rogne de n'avoir pas songé à apporter un livre ou un magazine et de découvrir une bible dans le tiroir de la table de chevet. C'est à peine si j'ai été surpris quand ils sont entrés par la porte donnant sur le balcon. Après tout je n'avais pas sommeil, il ne me semblait pas possible de dormir par ce temps et je les connaissais un peu. Pour la forme, je leur ai demandé de ne pas faire attention au désordre de la chambre, j'allais ranger dans le placard le veston que j'avais négligemment accroché au bec-de-cane de la porte en arrivant, mais déjà Christine me mettait un ballon de blanc dans la main, faisait tinter son verre contre le mien, me disait que sans la barbe elle avait dû s'y prendre à deux fois, mais qu'en me regardant de près tu sais tu n'as pas tellement changé, toujours cette ride du souci qui te barre le front, tu travailles trop, pourquoi ne viens-tu pas plus souvent à Québec ?

Justement, j'y pensais. Cet automne, des dossiers sans doute. Christine faisait le geste de replacer ses cheveux blonds, le geste durait longtemps, elle me disait qu'avec moi le boulot passe toujours en premier, qu'il ne me viendrait pas à l'idée d'aller avec elle dans la vallée de la Jacques-Cartier pour ne rien faire sinon marcher, marcher, et moi j'étais ce que je suis, lui répondant que des idées peut-être il m'en viendrait à condition qu'elle ait le geste de replacer ses cheveux, je baissais la lumière et me déplaçais pour ne plus voir que la nuit par la fenêtre, les points rouges des cigarettes comme des lucioles sur le balcon et Christine au premier plan qui se moquait de mes fantasmes et exigeait que, condition pour condition, je renonce à la barbe cet automne encore puisque j'étais mieux glabre et même que je n'étais pas mal.

Je lui ai demandé si elle croyait au charme des spectres des portes cochères et elle s'en est amusée, ameutant les autres parce qu'il n'y a personne pour parler des spectres comme moi. Ils étaient tous d'accord, visiblement contents de me revoir après tout ce temps et moi, tout de suite ému, je me suis lancé dans le panégyrique du coopératisme, comme si j'avais voulu les convaincre de la valeur de ce qu'ils avaient fait, sans que personne ne m'interrompe pour souligner la contradiction de se retrouver dans un hôtel pour la construction duquel on avait sacrifié une portion de quartier. Ils étaient tous dans ma chambre et pourtant j'étais leur invité et un ami trop longtemps absent a droit à toutes les complaisances.

En m'éveillant ce matin-là, la mélodie de piano sur le bout des lèvres comme si elle ne s'était pas interrompue, le charme s'était dissipé : il ne restait plus de la fête qu'une tonne de mégots, les verres vides et la bouteille de Nahe oubliés sur la commode ainsi qu'un retentissant mal de tête. J'eus un moment la douloureuse certitude que rien de tout cela ne m'était arrivé. Il n'y avait de sûr que la réunion où m'attendaient fonctionnaires et ordre du jour, que la chaleur d'une matinée en enfer. Mon veston, toujours accroché à la poignée de la porte, faisait peine à voir, le bec-de-cane lui moulant une infirmité à l'épaule. En regardant par la fenêtre, je vis qu'il n'y avait pas de balcon, seulement le boulevard Saint-Cyrille. Dix-sept étages plus bas.

C'est écrit

J e lis tout le temps. Tout ce qui me passe sous les yeux. Je mange sur le journal comme s'il s'agissait d'une nappe. Je lis les panneaux de publicité tant qu'ils n'ont pas été remplacés, dix, cent, mille fois. Enfant, dans l'autobus, je demandais à ma mère, à mon père de me lire les réclames. Je les apprenais par cœur, les répétais à voix haute comme si j'avais su. J'étais tout petit, blond, les gens s'interrogeaient, mes parents m'ordonnaient de baisser le ton, de ne pas montrer du doigt. Rendus à la maison, ils étaient fiers. Alors pourquoi j'aurais arrêté ?

Le soir, je vais à *La Grande Ourse*, ils ont les meilleurs graffitis. Je dis *ils* : je ne suis pas allé du côté des femmes. Mais j'imagine.

Junior aime Za. Je faisais la file justement, parce que vers minuit ça ne désemplit pas et que dans un bar vient un moment où il faut lâcher du lest. Comment ne pas remarquer devant soi quelqu'un qui a une déclaration d'amour écrite sur le bras et

Oui l'éternité est muette
Elle nous dirait l'heure qu'il est
sur l'autre ?

Ça m'a beaucoup impressionné. Je pense
même avoir murmuré la phrase comme font
les gens qui n'ont pas l'habitude de lire. Je n'ai
pas l'habitude de l'éternité et d'ailleurs je n'y
comprenais rien. Peu importe, Junior aimait Za.
Personne sans doute ne m'avait entendu. Quand
je suis revenu des toilettes, ç'a été plus fort que
moi, je l'ai cherchée dans la foule et le nuage de
fumée. Junior était parti. Alors, Za...

J'aimerais qu'elle ait des fossettes, pour
quand elle sourit. Brune. Les cheveux comme
un oursin.

Junior n'est pas le type qu'il lui faut.

Je ne l'ai pas revu. Il s'est empâté. Ses fa-
voris ont allongé, pour faire plus rocker. Je crois
l'avoir entendu penser que Za et lui ça ne pouvait plus continuer, qu'il en avait marre d'une
fille qui ne l'aimait pas, ne l'avait jamais aimé.
Pauvre Junior, c'était une folie de penser que Za
pouvait vraiment s'intéresser à toi. Il avait tout
essayé, il était allé jusqu'à écrire cette chose
incompréhensible pour se rendre intéressant.
Maintenant que j'y pense, je le revois dans la
file, c'était évident, Junior était trop... comment
dire ? ou plutôt trop peu.

Mais voilà, il l'a dans la peau. J'ai parfois
peur pour elle. Il est capable de tout. Si je le
voyais, je pourrais le raisonner. Mais non, il n'est
plus jamais revenu. Je fais les autres bars, je lis
tout ce qui me passe sous les yeux, l'amour de
Coco pour Pat, *Pat aime Clo,* ça m'indiffère, il y

a Za, ça me suffit, les cœurs percés de flèches in-
délébiles sur les biceps, les avant-bras, les joues,
des KKK tatoués sur le front, des croix gammées,
des phrases incroyablement longues d'une terrifiante netteté, *la femme idéale est une dame
au salon et une cochonne au lit,* mon dieu, Za,
toutes ces obscénités, ces numéros de téléphone,
ces slogans racistes, Za, bientôt je ne pourrai plus
sortir, je ne pourrai plus !

Filature

Il est tard, toutes les bouteilles sont vides, on n'est plus que six autour de la table. Quelqu'un raconte que depuis une semaine il lui est arrivé trois ou quatre fois de recevoir un coup de téléphone en fin de soirée. Et chaque fois, personne à l'autre bout du fil.

La conversation, à peu près éteinte il y a deux minutes, est relancée. À chacun de nous six il est arrivé semblable mésaventure ces derniers temps. Géraldine elle, c'est des téléphones obscènes et ça la rend malade. Charles aussi en a reçu et il dit qu'il leur casserait la gueule à cette engeance de maniaques, mais tout le monde comprend que c'est sa manière à lui d'avoir peur.

Il y a pire : on a frappé à la porte de chez Nicole alors qu'elle venait juste de rentrer (Nicole elle ferme les bars, mais elle dit que merde c'est pas une raison). T'as pas appelé les flics ? que je lui dis. Tu les appelles toi les flics quand t'entends des bruits suspects sur ton palier ? Évidemment non. Et Nicole en plus elle peut pas les sentir les poulets.

Et il y a le grand blond dont j'oublie toujours le nom qui ajoute qu'à lui aussi c'est arrivé : en

pleine nuit on frappe chez lui, il demande qui est
là et ça ne répond pas. Il regarde par le judas de
la porte. Rien. Ou bien le visiteur nocturne est reparti ou bien il s'est placé de façon à se soustraire
au regard. Lui non plus n'a pas appelé la police.
Le temps qu'elle rapplique, le rôdeur a cent fois
le temps de sacrer le camp.

La même chose est arrivée à plein de monde
qu'il connaît. Une véritable épidémie. Et toujours le soir ou la nuit. Géraldine trouve que le
jour ou la nuit qu'est-ce que ça change ? Charles
est d'avis qu'il ne faut pas ouvrir aux inconnus.
Avec toutes les histoires qu'on entend conter
aujourd'hui, on sait jamais ce qui peut arriver.
Mais tu pourrais leur casser la gueule à cette engeance de maniaques, non ? que lui fait Nicole.
Très drôle.

Je décide de rentrer.

Comme il fait froid, je marche vite et plutôt
que de rester sur la grande rue (où à cette heure
je risque de rencontrer plein de saoulons, et ce
soir j'ai vraiment pas envie) et de tourner à
l'église, j'emprunte un trajet en dents de scie
qui m'amène jusqu'au bout du quartier, près de
la falaise, là où je demeure. Ça me permet de
couper au plus court par les stationnements et les
terrains vagues.

J'ai pas l'habitude d'avoir peur et je me dis
que c'est idiot il ne m'arrivera rien, il ne peut rien
m'arriver, j'ai pas l'air de quelqu'un qui a du fric
plein les poches et puis je suis un gars quoi. Mais

ces histoires m'ont rendu nerveux. Je passe mon temps à regarder à gauche, à droite. Même en arrière, comme si j'allais être pris en filature. Je me dis que je suis complètement maboule. Mais c'est comme ça.

Vingt mètres devant, il y a un gars qui marche lui aussi d'un bon pas. C'est fou mais ça me rassure. Il aurait été derrière que ça m'aurait dérangé. Mais devant.

Lui aussi il marche vite. Pressé de rentrer sans doute.

Le plus curieux c'est que trois ou quatre coins de rue plus loin, il est toujours devant. Il fait le même zigzag que moi.

J'ai de plus en plus la désagréable impression d'être suivi et que mes fréquents changements de direction n'arrangeront rien. Mais voilà, mon « suiveur » est devant. Absurde. Ce serait à lui de se sentir suivi. Mais ça j'irai pas le lui demander.

Quand je tourne enfin le dernier coin de rue, il est toujours là, dans *ma* rue, à vingt mètres devant. Il va jusqu'à entrer dans l'immeuble où j'habite. Un voisin ? Je ne l'ai jamais vu auparavant. C'est vrai qu'à vingt mètres, en pleine nuit, il est assez difficile de reconnaître quelqu'un qui vous tourne le dos.

À mon tour, je pénètre dans l'édifice. Juste à temps pour entendre une porte se refermer au troisième. Je reconnais le bruit de ces gonds que je néglige toujours de huiler : c'est la porte de chez moi, sacrebleu !

J'accélère, je monte les marches en courant. Au moment où j'arrive sur le palier, la lumière s'éteint. On l'a fermée par le commutateur intérieur.

Je rallume par le bouton extérieur, je veux insérer ma clef dans la serrure. Rien à faire. Le trousseau y passe au complet. Impossible de déverrouiller. Je frappe, je frappe. On ne me répond pas. Pourtant je suis sûr d'avoir entendu du bruit de l'autre côté de la porte.

Et je devine qu'on ne m'ouvrira pas, qu'on n'ouvre pas aux inconnus. Avec toutes les histoires qu'on entend conter aujourd'hui, on ne sait jamais ce qui peut arriver.

Les soupers fins du président

Une fois par mois, le jeudi, le président Abhorré Bercier se plie de bonne grâce à l'une des tâches qui font des hommes d'État les prisonniers de leur vie publique : il va souper (ou est-ce *dîner* ? il ne l'a jamais su) chez le généralissime Denfer, commandant en chef des Trois Armes. Si les menus manquent d'originalité, en revanche il y a partout une ordonnance impeccable bien servie par la militaire rectitude qu'en homme d'ordre, c'est-à-dire de goût, le président sait apprécier. De plus il a constaté que ces repas du jeudi auxquels les Trois Armes convient la Démocratie ont un effet salutaire sur son estomac inquiet

vie privée sacrifiée, sommets internationaux, urgences, suspicions de la presse

mais remarquablement vorace.

Le scénario ne varie guère d'une fois à l'autre. Sitôt le président arrivé, on échange une franche poignée de main, le général prend son invité par le bras et l'entraîne derechef dans les jardins

à la française.

On admire les fleurs, on s'extasie sur leur beauté intrinsèque,
– *Les roses rouges sont tellement poétiques !*
– *Et les blanches donc, de la poésie pure !*
on dit *Dieu merci, si Dieu le veut, Dieu m'en garde, Dieu vous prête longue vie* à propos de tout, Célestin Denfer ne rate pas une occasion de rappeler que les canons (pièces de sa collection à l'appui, éparpillées dans le vaste espace enceint de façon à ce que toujours elles s'imposent au regard) ont plus d'une fois sauvé le pays
et la démocratie, mon cher président, et la démocratie !
mais qu'hélas l'armement actuel est tout juste bon à entrer au musée de la Guerre
ou à relever la beauté de ces modestes jardins, fruit de vingt ans de labeur.
Bercier répond que le précédent gouvernement a laissé les finances publiques dans un état déplorable
dont vous n'avez même pas idée
mais que le cabinet étudiera sérieusement la question
comme il convient dans le cas d'une affaire aussi sérieuse,
et que les Trois Armes n'ont jamais compté aussi fidèle allié que le gouvernement Bercier
admiré dans les conférences internationales pour son soutien à la recherche scientifique, on ne le dit pas assez.

On vient prévenir le général que tout est prêt
mon général

et celui-ci traduit par
Honorable Bercier, vous prendrez bien...
ce à quoi Bercier répond par l'affirmative au céles-
tissime avec un tel empressement que Denfer n'a
jamais le temps de finir la phrase.

Souriant avec condescendance, se régalant à
l'avance de la perspective d'offrir à un invité ce
qu'il sait irrésistible,
J'ai là quelque chose qui devrait vous plaire
le général déverse toutes les obséquiosités qui,
hors des casernes, donnent quelque charme à la
vie.

– *Si vous voulez bien me suivre.*
– *Avec le plus grand plaisir.*

Et c'est des *après vous,* des *cher ami,* des
vous me flattez à n'en plus finir, appuyés de la
part des deux hommes par les gestes les plus ca-
ressants de leur répertoire.

L'on se dirige alors invariablement vers
l'un des confins du jardin où se dresse un mur
près d'un pavillon aux formes allégées par ses
multiples baies vitrées.

– *Que de grâce, mon généralissime !*
– *Le vieux militaire que je suis est à ses
heures un vilain romantique !*

De jeunes cadets viennent à leur rencontre,
– *Vous n'auriez pas dû...*
– *Allons donc, vous savez bien que tout le plaisir
est pour moi...*
les escortent,

– *Sauf votre respect, mon cher Denfer, vous commettez là un mensonge, car j'éprouve tout autant de plaisir que vous à ce...*
– *Que voulez-vous, je ne connais pas d'autre manière de recevoir chez moi le chef de la Patrie à laquelle j'ai voué ma vie.*

jusqu'à une ligne de soldats armés, au garde-à-vous. D'un pas lent ils effectuent tous deux la revue des troupes,

cérémonie qui, après toutes ces années, n'en conserve pas moins son caractère émouvant,

après quoi le général remet d'un geste ample le commandement à un jeune officier

dont le père a été décoré après l'insurrection.

Le président se croit tenu d'user de métaphores alimentaires pour rendre hommage au jeune corps d'élite

la belle brochette de recrues

et comme il se trouve alors beaucoup d'humour *et de bon goût,*

il en rajoute volontiers,

Voilà qui donne bonne bouche

demandant s'il s'agit d'éléments appartenant à la dernière promotion de l'École militaire.

– *Précisément.*

– *Encore une bonne année. Sous votre gouverne, tout se transforme en grand cru.*

On attache alors au mur la personne

Et c'est que ça ouvre

à qui le peloton d'exécution rendra l'insigne (quoique mensuel) honneur de la mort sous regard présidentiel.

– *J'ai présumé que vous ne dédaigneriez pas un peu de nouveauté...*

– *Je ne crains pas le changement, je pense que ma carrière politique en fait foi,*

ce dont tout le monde conviendra, puisque Bercier a d'abord été candidat libervateur (défait), puis élu sous la bannière néo-libertarienne (pour le salut national), ministre de la Culture et de l'Information sous Tascheron et Godsave, chef de la faction dissidente Néonéo, puis nommé président à vie à la chute du gouvernement consécutive à la fameuse affaire des espions paltotèques.

Pour varier,

Il faut savoir être de son temps, que diable!

le général Denfer a cette fois choisi de faire passer par les armes une jeune femme

arrêtée il y a une semaine lors de la manifestation pacifiste,

ce qui rompt la tradition des exécutions du jeudi, jusqu'alors une affaire d'hommes.

– *Le monde a bien changé, Denfer, bien changé. De notre temps, les femmes...*

– *N'allez pas croire qu'elle déprécie la carte. Cette femme a des références gratinées*

puisées à même la banque de l'Informationale, service

d'une remarquable exhaustivité pour peu que l'on sache s'en servir

qui relève pourtant directement de la présidence *je ne vous l'apprends pas,*

ce qui provoque une légère bouffée de dépit à Bercier à qui un militaire
rompu à toutes les techniques de l'information, je le confesse modestement,
vient en remontrer.

    – Je n'aurais pas survécu à toutes ces crises sans quelques renseignements utiles de temps en temps. Vous-même, Abhorré...

    La richesse de l'Informationale pour tout ce qui est associations,
activités syndicales,
réunions, affinités personnelles,
vie sexuelle plurielle sans doute,
participation de quiconque à quelque événement que ce soit,
la grève à la Technech, un peu avant l'insurrection, vous vous rappelez? elle y était
paraît sans limite.

    – L'homme moderne ne peut prétendre à l'omniscience. Le secret c'est de savoir chercher. Mon seul mérite, c'est d'avoir un peu de flair, des fournisseurs sûrs
au sein du personnel de l'Informationale qui depuis vingt ans enregistre
ce Tascheron, tout de même, un précurseur. Je lui dois beaucoup...
tout ce qui a trait à la vie privée des masses
aviljes par les déplorables mœurs contemporaines,
vote, allégeances,

vous voulez dire volonté déstabilisatrice mani-
pulée par vous savez qui
lecture,
ces systèmes informatisés dans les librairies et
bibliothèques, de vraies merveilles
attitudes de consommation
trop peu conformes au plan économique national.
Voyez-vous, Abhorré, il faudrait inciter l'in-
dustrie à chercher des applications domestiques à
nos activités paramilitaires, fer de lance de notre
technologie, garantes de notre prospérité natio-
nale et de notre position économique sur l'échi-
quier international. Le patriotisme commence là.

Il ne reste plus à Bercier qu'à s'incliner
devant la justesse du point de vue de Célestin
Denfer
l'homme des grandes occasions, ainsi m'avait-
on qualifié. Au mess, on disait avec Denfer, ces
salauds vont en prendre plein la gueule.

Les ordres donnés, les jeunes soldats épaulent,
toute cette belle jeunesse, ça ne nous rajeunit pas
remplissent leur office,
le délicieux spectacle
et les deux hommes peuvent enfin s'attabler. Un
valet demande au président si tout est à sa conve-
nance
Peut-il en être autrement à vos soirées, mon
général ?
et le sommelier annonce le vin du jour
Castelguernica grand millésime,
un mariage exceptionnel avec la venaison.

Et quart

Il s'éveille. Ou plutôt lui vient la conscience très nette, très pure de l'inertie, comme si les notions de sommeil et d'éveil cessaient soudain de se poser à plat sur une ligne interminable et que l'ordonnance du monde dépendait maintenant d'intermittences palpables, de la succession des syllabes sifflantes ou de quelque principe sensoriel neuf inconnu du jeune homme. Pourtant il sait qu'il est dans l'autobus, tout le prouve, le ronronnement régulier du moteur, le claquement caractéristique des longs essuie-glaces luttant contre la neige mouillée, les fades relents de paradichlorobenzène mêlés aux émanations de mégots refroidis. Les autres dorment, faut-il croire que le sommeil existe encore. Tout autour, la nuit, l'encre. La mémoire a profité de son engourdissement pour déserter, et avec elle le nom du lieu d'où il vient. Il se laisse caresser à rebrousse-poil par une légère angoisse, minuscule carie, ne se serait-il pas trompé de quai, là-bas, à l'embarquement, ne devra-t-il pas engager des formalités de réaiguillage sur une nouvelle destination, en pleine nuit, dans un bled inamical

où l'on n'admet pas les erreurs de parcours,
même assorties de contrition?

:15

Quelque chose clignote, minces diodes
rouges presque illisibles, le sang du temps qui
bat au-dessus du pare-brise, parasite essoufflé
et inquiet s'agrippant à l'acier où sans doute il
est recommandé de faire attention à la marche,
de ne pas dépasser la ligne blanche avant que le
véhicule ne soit immobilisé et de ne pas parler
au chauffeur. Le cœur horloger est blessé, il ne
pompe plus que les minutes, réduit à afficher
:15, tranquille pulsation sinusoïdale. Les *heures
se sont éteintes* et la phrase, sitôt qu'elle jaillit, a
un goût de mort.

Une nouvelle odeur se déclare, hargneuse,
et la masse voisine, côté allée, se met à ronfler
avec la puissance soudaine des gros réacteurs au
décollage. N'existe plus que l'abominable exercice pulmonaire, comme si l'homme cherchait à
se défaire de l'odeur par les bruyantes expulsions
d'air. Il porte une casquette partisane, non, une
casquette de baseball aux armes d'un institut
agricole dont le nom est maculé par une tache.
Même endormi, on lui trouve un air de bœuf et
on frémit à l'idée que des animaux ou des plantes
puissent sur son lieu de travail entrer en contact
avec un être qui exprime la bestialité la plus
inquiétante de façon aussi absolue. La visière
résiste aux succions, la casquette semble fondue
à la tête, elle s'y est moulée, matière plastique

verte, oui, écœuramment verte. Comment peut-on porter semblable chose, et par cette saison? Sans qu'il lui soit nécessaire de bouger, le voyageur constate que la barbaque endormie a débordé sur lui. Des images d'inconfort au cinéma, de guérilla pour l'usage de l'accoudoir lui viennent à l'esprit. Il s'étonne que le siège, pourtant dépourvu du remblai de l'accoudoir, réussisse à retenir la quasi-totalité de cette chair remuée par des secousses telluriques. Le bouseux ronfle si fort qu'il s'étrangle parfois. L'air souffre. La puanteur se répand au-dessus des têtes, totale. Le jeune homme songe au manteau de daim qui s'en imprègne déjà par tous ses pores et qu'il faudra pourtant se remettre sur le dos!

Et si l'on fourrait une Player's dans le trou noir asthmatique? Un havane, une botte de licteur tiendraient aisément. C'est un être Guinness, une bouche d'égout qui s'étouffe en avalant l'eau, la boue, la neige liquide, des emballages déchirés – mais qui en redemande. Invraisemblable frottement des muqueuses les unes contre les autres comme des papiers abrasifs qui auraient été dotés de la sensation du froid et qu'animerait soudain la maladroite pulsion des idéaux grégaires. On pense à la fureur des sauterelles survolant une terre déjà dévastée et considérant, par une aberration causale, les effets de leur manducation terrible avant même qu'elle n'ait eu lieu et qu'elle les ait repues, au grondement idiot d'une bétonneuse égarée sur le fleuve gelé, à la clameur des hooligans qui vont faire la peau à l'arbitre. La langue se cramponne pour n'être pas avalée puis éjectée hors de l'orifice. Ce doit être épuisant de dormir comme ça. Alors il faut au bœuf beaucoup dormir pour récupérer. Oui, le sommeil existe, le jeune voyageur l'a rencontré, et la haine confuse de tous les insomniaques se met à monter en lui.

Un moment ça arrête.

Tout de suite le jeune homme relève machinalement les yeux sur l'horloge numérique pour y savourer l'heure de la délivrance.

Et quart.

L'horloge survit à sa bêtise avec l'acharnement des néons crasseux qui dévorent à petits coups de bec les chambres miteuses des films noirs. Une quinte de toux déchire la nuit, rend toutes les impuretés accumulées : un soubresaut de rhume, la fumée des trente cigarettes qu'on aurait voulu mettre entre les lèvres sèches, la chanson mal apprise dont on aurait massacré le premier couplet, tout ce que la brume a de malsain lorsque l'hiver doute de lui-même, l'uréeformaletcætera qui nous sert de conscience, tous les massacres écologiques auxquels nous consentons par notre silence, le désespoir des Grands Prêtres du Temple de Jérusalem qui déchirent leurs vêtements. Le vaste corps n'en finit plus de protester contre les cahots de la route. Le nez s'en mêle, les renâclements qui ne dissimulent rien.

Le silence pourtant, enfin, duveteux, infini-tésimal, vrai. Dehors tout s'est figé. Les lumières ne scintillent plus, elles ont gelé. La neige reste suspendue à mi-chemin, à mi-chemin de quoi? La distance, comme une aporie maligne, ne peut être franchie. Le voyageur s'éveille. Ou plutôt lui vient la conscience très nette, très pure de l'iner-tie. Les diodes bègues ont oublié l'heure qu'il pourrait être. :15... :15. Rien et quart. Les autres dorment et une masse, fondue à une horrible casquette verte hors saison, se met à ronfler. Le jeune homme ignore s'il en veut à son lourd som-meil expectorant ou à leur sommeil à eux tous qui l'ont abandonné.

Nancy

T'aurais pas vu Tunney ?

Aussitôt elle s'excuse, m'avait pris pour un autre, avec la pénombre de ces nouveaux pubs c'est inévitable, à cause de Gene Tunney, tu sais le boxeur américain des années machin, et puis le film, alors ce copain qui fait de la boxe dans un club de Bicêtre, ça lui est resté, Tunney.

Et moi : en fait il s'appelle Léon ?

« C'est à peu près ça. »

D'habitude ça s'arrête là, le sourire s'allume avant de disparaître à une autre table, je rends vaguement grâce au ciel de notre jeunesse, de la nicotine en suspension qui nous sert de synapses, de cette parenthèse dans la soirée, de cet éclair qui m'a foudroyé, je bafouille que je suis désolé, c'est tout ce que je trouve à dire, histoire qu'elle ne parte pas tout de suite, mais elle n'entend pas, là je ne pense pas précisément à Tunney et à son pote, je pense plutôt à ma gueule, je suis sincèrement désolé d'avoir la gueule de tout le monde, à Paris comme à Montréal, pourquoi faut-il que ce ne soit pas à moi, mais à celui que je devrais être qu'on demande s'il n'a pas vu Tunney, je suis désastreux et désolé que ce soit par erreur que cet éclair ait traversé la fumée d'un pub parisien pour se poser sur moi, les cheveux blonds, le visage blond, les langues de feu, etc.

Mais là justement je suis à Paris, Paris si différent quand on y est pour le boulot, si accueillant, la bière est bonne, les langues de feu m'ont donné le don de parole, le tiercé, le contre-si bémol, Le Pen, la légende de Lorelei, Juvisy-sur-Orge, la valeur comparée de la mousse de kriek et de pale ale, garçon fournissez je vous prie les pièces à conviction, cin cin, elle s'appelle Nancy, tout de suite l'image trouble d'une ville inconnue, de taxis qui roulent sous la pluie piquée çà et là de points lumineux, un canal qui roule des eaux blondes, aussi surprenant que cela puisse paraître c'est la première fois que je rencontre quelqu'un qui s'appelle Nancy, Florence c'est pareil, je pense à l'Arno et je lui dis que je ne m'appelle pas Londres – elle a la gentillesse de rire – ni Gene Tunney d'ailleurs, mais que chez moi mon nom, prénom attaché, fait parfois sursauter aussi, car un artiste de variétés plutôt connu avait le même (et le droit d'aînesse en plus), alors on me demande si le drôle c'est mon père ou si c'est en son honneur que moi aussi, si bien que je me suis tanné – j'explique : lassé –, j'ai mis du cyanure dans son blé d'Inde, grain à grain, un peu comme ils ont expliqué à la télé pour les granny smith d'Afrique du Sud et je me dis qu'une fois de plus je vais faire fureur avec mon blé d'Inde vu qu'il ne s'agit ni de blé ni d'Inde, l'artillerie de campagne quoi, heureusement je m'arrête avant la tarte au bleuet (au singulier), les oreilles de crisse et le sirop d'érable – mais avec les pluies acides... Bref il est déjà minuit, je suis ivre et convaincu que ça me donne tous les droits, y compris celui d'être con. Je ne connais rien de Nancy sinon qu'elle a de ces yeux et que ces yeux-là sont posés sur moi, pas sur l'autre – à qui je souhaite des oreilles en chou-fleur, ainsi qu'à Tunney et au reste de l'humanité tant qu'à y être – mais ça je ne pourrais pas le dire parce que la bouche de Nancy a pris toute la place sur la mienne, un taxi et la suite royale à mon hôtel.

Sauf qu'à mon réveil le lendemain matin, Nancy est toujours là et qu'à la voir je comprends que la fulgurance ne se dissipera pas. J'ai moins le goût de faire le connard vu que les histoires d'amour ça me chavire, qu'il faut aller travailler, qu'il n'y en a plus que pour deux semaines de boulot et après : Montréal, les contrats, le rapport, que je ne me souviens plus très bien comment on demande à la femme la plus nue au monde si on peut la revoir, disons le jour même. Nancy me dit de me dépêcher, qu'elle a faim, qu'on a tort de négliger le petit déjeuner quand on a une grosse journée devant soi. En tout cas, elle, elle a des choses importantes à faire, le même pub, la même heure, un Montréalais de passage qui confond les filles et les villes.

À la sortie du pub elle m'emmène au canal Saint-Martin, c'est elle qui parle : Nancy la ville, elle y est allée, rue Héré, Jardin botanique, Modern Style lorrain et des tas de choses qui élargissent l'idée que je me fais de la blondeur. Puis Paris, le sien, l'Ourcq, une chanson qui parle de péniches, les Buttes Chaumont, une conception du temps si différente de la mienne, toujours tout tout de suite, l'amour, le ballon de blanc, la paix que l'on signe avec la nuit. Et on s'étonnera que je confonde les filles et les villes !

Et ainsi de suite pendant deux semaines. Le temps d'échafauder des plans de transfert et de les voir s'écrouler les uns après les autres. Je ne suis tout de même pas le premier à qui ça arrive : une mission étrangère, les attentes des patrons et des collègues, la certitude qu'on ne reviendra pas avant des mois, des années et, au beau milieu de tout ça, Nancy, Nancy qui dit non – la première fois, la seule – à l'idée de venir avec moi à Montréal, sa conception du temps radicalement différente de la mienne, sans amertume certes, mais sans regret apparent, qui ne dit rien dans le genre tu verras, tu trouveras quelqu'un d'autre, à Montréal des filles comme moi il y en a des centaines, c'était un bon moment à passer, nous l'avons fait, qui ne dit rien de ces baumes amers, qui ne dit rien.

J'ai voulu la revoir. Le matin du départ, je suis monté chez elle. Sur le palier, une gorgone à balai, la face rougie par le mauvais vin bu trop tôt, me demande ce que je fous là. Je ne trouve rien de mieux à dire que je cherche Nancy, enfin mademoiselle... La furieuse ne me laisse pas terminer, me traite d'andouille comme si elle se vidait de toute sa rancœur de Méditerranéenne montée à Paris chercher de l'ouvrage après la Guerre et qui n'a trouvé que cette place de concierge.

«Il cherche Nancy au sixième, voyez-vous ça! Ici c'est Paris!»

Et par-dessus sa mauvaise foi ou sa stupidité, le cri suprême:

«Mon parquet!»

Son parquet, l'andouille l'a souillé de ses grosses pattes sales et ça ne se passera pas comme ça, oh non! Une pauvre femme qui gagne sa vie à la sueur de son front, qu'un moins que rien vient importuner en faisant semblant de chercher la Lorraine à Paname. Et les filles qui font la pute avec des moins que rien. Je me replie hors de portée du balai, mais la folle se met à crier, j'entends des choses pas gentilles sur les foutus Hollandais qu'on comprend rien quand ils parlent, il est question de drogue, de cochonneries, je dévale l'escalier, je n'ai pas précisément le goût de faire le coup du blé d'Inde, je suis heureux qu'on ne pende plus sur la place de Paris. Et puis merde il pleut. Et la bière au bistro du coin où je reprends mon souffle, c'est de la Kronembourg, autant dire pluie sur pluie.

Je n'ai plus vu Nancy. Je revois par ses yeux la rue Héré, le Jardin botanique, un canal roule des eaux blondes, des taxis foncent sous la pluie piquée çà et là de points lumineux, dans la foule qui sort des bureaux je cherche le souvenir de plus en plus imprécis d'une fille à nom de ville. Aussi surprenant que cela puisse paraître, une fille qui s'appelle Nancy c'était la première fois. La nouvelle secrétaire au bureau s'appelle Nancy. Elle est blonde, jolie, parfaitement bilingue, n'est jamais allée en France, n'a jamais entendu parler de Gene Tunney. À toute heure du jour et de la nuit, il y a un connard qui compose le mauvais numéro, appelle chez moi et demande *Nainecé*.

Traces

Ça se sentait dans l'air du soir, avant d'entrer
à *La Grande Ourse*, une impression, pas
vraiment, c'était écrit dans le ciel qu'il allait
neiger. La première fois. C'est peut-être le seul
bon moment entre la neige et moi, cette nuit de
novembre quand je me rends compte que les
feuilles jonchent la rue sans leur odeur. Au bar,
j'ai raconté cette douceur de vivre, avez-vous
vu ? il va neiger !, mais ça s'est perdu dans le
jazz et Kundera, sauf Martine – Pépère Météo
va bien ? Il va bien, il ira encore mieux en sortant :
le ciel déchiqueté, *un peu de craie dans l'encrier*
(Daniel Boublil), ma cabane au Canada et cætera,
et dans le corps des liquides qui attendrissent ma
vieille âme. Il faut cultiver l'état d'âme : dans un
mois, la muette amertume de ne pouvoir comme
tant d'autres planter mes fesses dans le sable des
î-î-les.

La neige que personne n'a encore foulée
(mais les chats). Deux heures et quart du mardi.
Dessiner les premières traces de pas, ondula-
toires, patientes, à peine bruissantes. Le talon
qui décape l'asphalte, la semelle qui s'inscrit

comme sur un registre de police, empreintes en vé. Signes distinctifs : ouverture des pieds vers l'extérieur (mais les canards, mais Noureïev), faille transversale (Labrador) au pied droit, vé brisé. Médium : neige-forte.

Le choix des rues peu fréquentées. Les éclairages avares et obliques. L'envie du graffiti sur pare-brise (*C'est une flaque d'eau qui se prend pour la mer* – Léo Ferré). Le plaisir d'être le seul maître de la toile. Jusqu'à ce que je change de cap et descende une rue où quelqu'un était passé avant moi (ses traces).

Tout naturellement, mes pieds ont trouvé leur place dans ces empreintes. Même pointure, même dessin de semelle, même ouverture des pieds. Je me suis retourné : impossible de distinguer l'avant de l'arrière, l'avant de maintenant, comme s'il n'y avait jamais eu qu'un seul et même pas. Nos rythmes exactement confondus. C'est ça : une cadence gravée pour soi à même la rue, à même la nuit. Et sans doute le bruissement enharmonique.

Suivre la piste comme une partition innée (prononcer *intime* pour l'émotion), la tête baissée (mais le solo comme une destination inconnue).

L'intersection. La trace coupée par deux rubans noirs (mais les automobiles).

La ramener quelque part

Je ne la connaissais pas, je ne l'avais jamais vue avant cette pendaison de crémaillère chez Christian et Pauline. Plusieurs fois au cours de la fête j'ai eu l'impression qu'elle regardait de mon côté, d'abord à la dérobée, puis sans feinte. Curieusement, je n'en ai éprouvé aucune gêne, je ne me suis pas dit mes cheveux ça ne va pas, j'ai un accroc à mon veston, un furoncle au milieu du front. Je me suis même senti flatté par ces yeux sur moi, ses beaux yeux comme une caresse.

Discrètement, je me suis informé. On nous avait sans doute présentés l'un à l'autre au début de la soirée, mais il y avait tellement de monde que je ne connaissais pas, tout le bureau de Christian, la communauté élargie des graphistes dont Pauline est le centre, et moi qui ne vaux rien dans ces occasions-là, sans mémoire des noms et des visages, cherchant tout de suite âme connue dans le brouhaha. On m'a dit son nom. Jamais entendu parler. La femme de, comment s'appelle-t-il déjà?, un mec qui travaille dans cette boîte bien connue du centre-ville... Il s'est même trouvé quelqu'un de vulgaire (et sans

46

doute déjà saoul) pour spéculer d'un air entendu sur sa baisabilité. Non elle ne me paraissait pas particulièrement baisable, quoique. Mais je n'ai rien dit, rien répondu au type. Je ne suis pas doué pour ces conversations, je confonds tout, la nouvelle façon de parler des femmes entre hommes, la nouvelle chasteté, le Nouveau roman. Il y a des jours où je me dis que je ne suis qu'un bigot sinistrement moulé dans un amalgame de morales désuètes.

On a dansé dans la cour, et moi aussi, mais ça n'a pas d'importance du fait que ce n'était pas avec elle. De loin en loin, je la voyais me regarder avec une espèce de sourire perpétuel accroché aux lèvres. Était-ce vraiment un sourire ou l'image de sérénité physionomique de sa figure un peu ronde ? C'était à mon tour de dérober quelques secondes de-ci de-là sur ce visage hâlé mais – ça m'a choqué –, dès que j'ai su qu'elle était avec ce graphiste, je me suis mis à l'observer lui aussi, pire, j'ai présumé qu'un des pitres près du buffet c'était lui. Qu'est-ce qu'elle pouvait bien lui trouver ?

Puis je ne l'ai plus vue. Je l'ai cherchée partout, dans la cour, dans la maison. Qui pouvais-je demander ? La femme de Chose ? Quand on ne sait pas appeler les chimères par leur nom, on se tait. J'ai fini mon verre, la soirée avait désormais perdu tout intérêt, j'ai salué Christian et Pauline, ils m'ont remercié d'être venu, mais non c'est moi qui vous remercie, tu ne t'es pas trop emmerdé avec tout ce monde que tu ne connaissais pas? Mais non, je vous assure.

J'ai remonté la rue jusqu'à ma voiture. J'ai fait celui qui cherche une cigarette dans la poche intérieure de son veston – et le veston aurait cinquante-six poches – car elle était là, à vingt mètres, seule.

«Vous me ramenez quelque part?»

Elle ne l'a pas dit comme une vamp. Moi tout de suite les jambes molles, la cigarette que je ne sais plus où mettre, vous fumez?, elle ne fume pas, mais si pour une fois. Son nom à elle, enfin dit par elle, le mien, ce que nous faisons dans la vie quand nous ne pendons pas la crémaillère, où j'habite, elle ne connaît pas ma rue, si je voulais, ce doit être calme Saint-Sacrement la nuit, bien sûr que c'est calme, bien sûr que je veux. Un verre chez moi, à peine quelques mots, les fenêtres ouvertes pour une des premières fois de l'année, ses jambes repliées sur le divan, toute cette douceur que j'en oublie le graphiste, qu'elle est mariée, enfin je suppose, je ne lui demande rien sinon: un autre cognac? Du coup j'ai seize ans, le grand amour est affaire de quelques minutes, je suis convaincu de n'avoir jamais connu d'autre femme, et tout le bazar qui enivre. Devant moi une femme un peu ronde – je n'arrive pas à dire mieux – qui n'a rien à voir avec les femmes de ma vie, avec l'idée que je me fais du désir, du corps désirable, et pourtant je suis tout chose, les spéculations de l'importun remontent à la surface, nous parlons à peine, je me lève, je vais à la salle de bains m'éponger le visage, c'est bien moi qui suis dans le miroir.

Quand je reviens au salon, elle n'est plus là. Sans bruit, elle s'est couchée dans mon lit en attendant que je la rejoigne. Je me déshabille, cherchant par toutes sortes de contorsions ridicules à dissimuler la preuve de mon désir sur mon ventre. Ça m'embête chaque fois d'être ainsi devant les femmes, ça m'embête de chercher à le cacher. Quand on affiche comme moi sur les tempes et le front les indices de la maturité et qu'on est agacé par les propos de taverne, ce genre de truc impulsif, d'appel aux armes, c'est profondément gênant.

Elle n'a rien dit, elle a fait celle qui n'a rien vu, peut-être n'avait-elle rien vu. Je me suis glissé rapidement sous les couvertures, elle s'est retournée tout contre moi, sa tête dans le creux de mon épaule, son bras replié contre mon torse. Elle m'a demandé dans un souffle si j'étais bien. J'ai répondu oui, ce n'est pas ce que je voulais dire, elle a ajouté que c'est bon de faire dodo avec quelqu'un auprès de qui on se sent bien. Je n'étais pas sûr de m'y retrouver dans cet euphémisme, mais déjà elle me parlait des démons du sommeil, de la douceur nécessaire des draps – pour une fois les miens étaient frais –, de la plénitude du corps de l'autre – c'est une belle phrase quand l'autre c'est soi.

* * *

Nous nous sommes revus de loin en loin pendant un an. Elle me téléphonait, passait à la maison, c'est à peine si nous parlions, jamais je n'ai vu quelqu'un écouter Schumann comme elle. Parfois elle restait à dormir, elle aimait dire comme la première fois combien il est bon de faire dodo avec les gens qu'on aime, c'était sa phrase fétiche et peut-être sa mise en garde. Jamais nous n'avons... enfin, sa tête au creux de mon épaule, ses bras en travers de ma poitrine ou ma tête sur elle, mes mains sur ses seins melons. Elle n'a plus parlé des démons du sommeil et moi, mes démons, je les ai fait taire de peur qu'en parlant tout ne soit rompu.

Je me suis demandé pourquoi cela m'arrivait alors qu'il y a tellement de femmes de mon âge à Québec, seules, que je pourrais aimer, qui pourraient m'aimer. J'ai tout gardé en moi, je ne l'ai pas davantage questionnée sur sa vie, cela aurait servi à quoi? l'attrister, m'écorcher. J'ai redécouvert Schumann. Jamais elle n'est arrivée et repartie autrement qu'heureuse et je sais maintenant que ce bonheur elle me le donnait en partage et que pour cela, le silence, la musique, le cognac, le sommeil suffisaient.

Ses visites étaient irrégulières et j'ai vite renoncé à l'idée d'en déterminer la cause. Si j'avais eu l'impression que par cela elle me maintenait sur le qui-vive, j'aurais réagi. C'était autre chose, la surprise, la semaine disloquée, la saveur toujours semblable et pourtant différente d'un mâcon l'un sur l'autre.

Je ne suis pas l'homme d'une résolution : même si j'avais pour principe de ne pas intervenir dans ce jeu aveugle où tous ses coups m'étaient favorables, je lui ai un jour téléphoné, du bureau, c'est l'autre qui a répondu, enfin j'imagine, j'ai prétexté une erreur de numéro. J'ai repensé à l'infidélité, au graphiste, à la torpeur domestique et à des tas de choses du genre.

Elle n'est plus venue, je l'ai revue à une soirée. Lui aussi était là, sérieux et attentif. Je cherchais ses yeux à elle, mais toujours ils étaient ailleurs, aussi doux et souriants que la première fois. Au moment où je m'y attendais le moins, elle m'a dit : « J'ai vécu avec vous une incomparable histoire d'amour. » Elle m'avait vouvoyé comme l'étranger que j'étais redevenu.

Quand je suis redescendu à la rue, le fond de la nuit était doux, j'ai pensé aux nuits calmes de Saint-Sacrement. Je savais qu'elle ne serait pas là, que je ne la ramènerais pas quelque part. J'ai fait celui qui cherche une cigarette. Il est toujours permis de rêver.

Colocataires

Quand elle a vu qu'elle n'arriverait à rien avec ses méthodes habituelles de persuasion, Gisèle s'est raidie, si tu ne t'aides pas toi-même et des machins de ce prix-là. Elle m'a dit que j'étais devenue impossible, que si je trouvais ça amusant des airs de chien battu, elle pas. Et puis la tristesse ne te vaut rien. Ce qu'elle m'offrait c'est la chance de me sortir de ce passage à vide, de tirer un trait, de tourner la page. Tous les clichés de circonstance y ont passé, ça non plus ça ne me vaut rien, mais je continuais à résister, une soirée à *La Grande Ourse*, le bruit, l'alcool, les copains, les autres, très peu pour moi. *La Grande Ourse* ou ailleurs, là n'est pas la question, le problème il est ici entre les quatre murs de l'appartement à ressasser la scène de rupture et tout ce qui vient avant. À croire que c'est la première fois que tu casses. Tu t'enlises, Julie, le repli sur soi, à la limite c'est schizo, tu ne peux pas rester tout le temps enfermée à regretter un gars qui ne t'aimait même pas, qui ne t'a jamais aimée, tu ne te rends pas compte qu'il se foutait de ta gueule ? Je lui ai répondu que ce n'était pas nécessaire vu qu'elle,

elle se rendait compte à ma place, ça l'a blessée, je me suis tout de suite excusée, c'est vrai que je suis devenue impossible, je ne veux pas dire de vacheries à Gisèle sous prétexte que je file un mauvais coton, non, pas à Gisèle. Avec ça qu'elle a raison : il s'est joliment foutu de ma gueule.

Du coup j'étais piégée, pour me faire pardonner, j'ai dit que j'irais. Mais arrange-toi un peu tout de même, avec cette face de mi-carême, tu ferais fuir n'importe *qui*. Elle voulait dire *n'importe quel garçon* mais je n'ai pas relevé, tout ça est déjà assez compliqué, combattre le feu par le feu c'est la méthode de Gisèle, je me suis maquillée, je sortirais parce que Gisèle en avait décidé ainsi, parce que Gisèle est mon amie et qu'entre amies, parce que Gisèle a Paul et moi personne. Paul par-ci, Paul par-là, l'intelligence incarnée, deux semaines que ça dure ma fille et pas l'ombre d'une dispute, sans parler du reste, une véritable statue grecque, un tendre mais... mieux, enfin si tu vois ce que je veux dire. Bien sûr que je voyais, bien sûr que je l'enviais. Un mec, tendre, bon baiseur, trois qualités appréciables. Une nuit où j'attendais que le matin vienne me délivrer, j'ai vu la statue grecque aller pisser. Gisèle exagère à peine : bien baraqué le gars.

Sitôt qu'elle a un mec dans sa vie, Gisèle ne supporte plus le célibat autour d'elle, surtout si c'est sa colocataire qui chôme sentimentalement. Elle ne conçoit son propre bonheur que dans le bonheur ambiant. D'habitude j'arrive à suivre le rythme, mais là non. Je l'avais dans la peau, je m'étais même persuadée que c'était le mien. C'était à mon tour de consommer les clichés à la vitesse d'un courrier du cœur. Tout le temps que ç'a duré, je me suis dit que ça finirait par se placer, que, que et que. Rien de tout ça. Il ne changeait pas et moi non plus. Et pourtant quand il m'a annoncé que nous deux ça n'avait pas d'allure, quand il a eu cet éclair de génie dans la cuisine, j'ai sombré. Son naufrage à lui était terminé, il s'était refait côté tendresse, il pouvait partir. Gisèle l'a traité de salaud, moi de conne, mais c'est comme ça. Ça fait deux mois que j'essaie d'y voir clair : ses motifs, son radoub affectif, je les comprends. Mes motifs à moi, ma passion pour un type auprès de qui j'étais immensément mal, pour ça rien à faire.

Évidemment Paul a un frère ou un copain, je ne sais plus, je n'écoute pas toujours, comme je les aime, et ce soir justement. Qu'est-ce qu'elle en sait Gisèle ? Bien sûr, je les aime intelligents, tendres et bons baiseurs. On est quelques-unes sur le coup. Oui, oui, sinon on va être en retard. À cette heure-là, pas facile de trouver une place libre à *La Grande Ourse*.

À la table du fond, Paul et l'autre. La statue grecque se lève en nous voyant, elle a les yeux cernés – ce que je peux être mesquine. L'éclairage sans doute. Puis l'autre sort de l'ombre. Ses yeux morts. Il me regarde de ses yeux morts. J'ai un recul et tout de suite Gisèle me prend par le bras, du coup les présentations, Julie ma meilleure amie, Paul et Gisèle les baisers, lui et moi la poignée de main. À la première occasion, Gisèle qui me dit *ce n'est pas vraiment lui,* murmuré comme dans un rêve, mais déjà ses yeux dans ceux de Paul, Gisèle prête à roucouler et moi qui ne comprends pas ce qu'elle a voulu dire, incertaine de ce que j'ai entendu. Je voudrais regarder ailleurs, mais les yeux morts finissent toujours par me rejoindre et je sais qu'à la fin de la soirée ces yeux morts dans les miens pour fouiller ma tristesse.

Et sentimentales

Il marchait dans les vieilles rues de Trois-Rivières, dans les rues de son enfance, depuis longtemps il marchait dans quelque chose d'ancien, il venait tout juste d'en prendre conscience – bon dieu, depuis combien de temps ? – et il n'était pas question de son enfance, mais d'une rue familière et inconnue. Il était envahi par l'incertitude des lieux, par leur excroissance vorace. Les maisons étaient exagérées, les angles inquiétants – cette façon d'entasser les encorbellements, les escaliers intérieurs qu'on devine sous la brique, d'autres solitudes aussi, les hangars concurrents – tout finirait par se rejoindre par-dessus la rue pour boucher la nuit et c'était son seul repère sûr que la nuit, il la traversait en somnambule étonné – depuis combien de temps ? – il la reconnaissait à ses lueurs noires, à l'emprise qu'elle exerce sur l'esprit, comme une main placide et affreuse qui voudrait en exprimer l'angoisse, qui serrerait très fort, il venait de saisir que la nuit ne s'était donné des airs de folie et de géométrie absurde que pour retarder le sentiment absolu que Monique l'avait quitté, accentuer la certitude que Monique était sortie de sa vie, qu'une fraction du monde cessait de correspondre à la quiétude, que Monique était partie, partie, qu'il n'en avait peut-être rien su, qu'il n'y avait plus rien à faire, que les causes de son départ s'étaient accumulées sans qu'il ait agi, c'est tellement difficile tout cela, ils s'étaient aimés, peut-être s'aimeraient-ils encore – mais attendre ? –, et puis non puisqu'il ne lui restait plus en partage que les douloureux effets de la sépara-tion, la barre dans le ventre, les tortures à hauteur de tempes, l'amour dont on se demande s'il a vraiment existé – oh ça oui, il le faut ! Monique l'an dernier, l'amour de Monique, l'amour dont il ne restera rien sinon les souvenirs, mais les souvenirs tournent au gris quand ils cessent de faire mal et Monique était déjà en creux, l'ab-sence en lui s'était creusé un nid, chacune de ses cellules pouvait en témoigner, et puis la nuit anguleuse. Il marchait dans les vieilles rues de Trois-Rivières et ce n'était plus Trois-Rivières, au coin de la rue Sainte-Geneviève commençait l'inconnu, la crainte, il en était rempli, marcher seul dorénavant, s'abandonner à la lente fatigue, à l'énorme fatigue qui s'était uniformément déposée dans son cerveau comme une suie tenace.

Puis Monique, là, étrangère, assise, qui lui parle, mais d'autre chose, Monique et lui dans la même pièce, rien entre la rue et la chambre – aucune importance –, la fatigue toute dans les mâchoires, Monique qui parle d'autre chose et lui qui répond sans conviction et qui pense pendant tout ce temps à leur rupture que rien n'annonçait, que tout annonçait, cette césure dans sa vie dont il n'a d'autre idée que son accomplissement imprécis, presque ancien, Monique qui continue à parler et lui qui parle d'autre chose comme si de rien n'était et que pour Monique la même chose. La pensée de la séparation seule compte vraiment, Monique assise, là, qui parle le dos tourné, il se lève, l'approche, c'est elle, glisse sa main dans l'encolure, palpe le sein, la main se remplit de la douceur du sein, Monique, reconnaît le galbe, Monique ne dit rien, n'approuve ni ne condamne et Frid s'en surprend.

Tellement qu'il s'éveille. Le sein est encore au creux de sa main, la chaleur, la courbure, le rêve a traversé mais c'est si bref, tout s'évapore. Puis la douleur, la lacune, la main qui se dessèche, Frid de nouveau est représentant, assailli par sa condition dans des draps rigides comme le plastique, demain prédire aux libraires les succès de la saison. Mais cette nuit, la chambre d'hôtel. Rimouski, Chicoutimi, Baie-Comeau, qu'importe. Monique absente, Monique à Montréal chez eux. Et l'espoir soudain gonflé jusqu'au tragique que leur amour renaisse. Monique l'an dernier, l'amour de Monique dans le petit logement de Québec, le déménagement à Montréal, son air de dire que tout irait comme avant. Mais le boulot. Non, ce n'est pas ça. Il faut chercher du côté de ce qui ne survient pas. Une manière de se taire, puis l'inquiétude, muette elle aussi, le refus de la rupture pour elle comme pour lui. Ils se sont aimés, peut-être est-ce encore possible ? Mais cette nuit, Trois-Rivières se dépose comme une suie tenace, l'enfance d'immigrant né nulle part – un bateau entre x et y.

Il n'y a pas si longtemps, Frid et Monique heureux ensemble. Il en est sûr. Pour elle aussi. Et sa chaleur, son odeur dans un lit. Une partie de l'univers qui cesse d'être hostile, même Trois-Rivières. Mais là, Frid seul dans un lit d'hôtel.

Se lever, l'appeler en pleine nuit, lui dire ce qu'il n'a pas su dire depuis un an, la gaine sur ses sentiments, la peur, mais aussi la joie vibrante de la savoir à l'autre bout avec sa manière de dire que tout pourrait aller bien comme avant. Trois heures du matin. Elle ne sera pas ennuyée, pas Monique. La première fois, elle lui avait dit «Étonne-moi», le lui avait demandé. Et lui – je m'appelle Frid – né sur un bateau, la tempête, alors tu comprends que les souvenirs intra-utérins, le *rebirthing* et tout le bazar... Ce qu'elle avait ri, ce qu'elle avait été bien alors. Et en-suite. Trois ans, il en était sûr. Et les *Variations sérieuses* de Mendelssohn, plus tard ce soir-là. Il aurait voulu ajouter *et sentimentales,* mais ce n'était pas nécessaire. Son regard à elle et les larmes soudain aux yeux de Frid et Monique. Et ensuite. Trois ans.

Appeler Monique tout de suite parce qu'il y a eu Mendelssohn. Et trop de choses tues.

Mais le téléphone là-bas à Montréal qui sonne et Monique qui ne répond pas.

Les gares de la nuit

Nous étions tous assis, plutôt affalés sur les longs bancs de bois verni, le visage vide et pourtant contrarié par le train qui ne vient pas. J'avais en tête des souvenirs de trains français sur lesquels je réglais ma montre tellement ils étaient précis. Il me semblait que c'étaient là les seules images satisfaisantes que mon cerveau dolent pouvait m'offrir. Chinon, 20 h 47, cet autre hiver, cet autre dimanche où je devais regagner Tours, cette autre attente d'un train qui serait à l'heure, lui, peuplé de conscrits en permission, de péquenots retournant en ville dans l'enfer des petites manufactures de céramique, d'étudiants étrangers se faisant photographier le dimanche au château du Coudray devant les graffiti des Templiers. Ici les trains n'ont pas ces vertus. Comme s'il ne leur suffisait pas d'être invariablement en retard, lents et bruyants, ils s'arrêtent parfois en plein champ pour éviter un hypothétique tamponnement avec un convoi de fret, et le café que parfois l'on vous propose alors tient de la suie bouillie. Et encore est-ce une faveur que le personnel vous fait payer d'un ton cassant. *Seventy five cents*, pour être précis.

Toute la fin de semaine, je m'étais demandé
«Mais qu'est-ce que je suis venu faire ici?» avec
l'acharnement du client insatisfait qui, croyant
acheter le soleil et la mer à l'agence de voyages,
aurait plutôt hérité de chapelles romanes – ou
l'inverse. La ville est terne, dépourvue de chapelles romanes, il n'y a qu'un beau quartier dont
on a du reste vite fait le tour, les librairies datent
d'une autre époque sans qu'il soit pour autant
possible d'y faire quelque trouvaille intéressante.
Quant à la mer, elle coule de droite à gauche,
c'est un fleuve, et le grésil interdisait de s'asseoir sur la terrasse qui surplombe les docks. La
saison aurait-elle été favorable et le soleil de
la partie qu'après deux minutes j'aurais cherché la
position la plus confortable pour lire, ce qui est
rarement le lot des bancs publics, fût-ce devant le
majestueux-fleuve-Saint-Laurent.

La gare était totalement dépourvue de comptoir à journaux. Et dire qu'on parle de littérature
de gare! J'aurais pu sortir, me mettre à la recherche d'une tabagie, mais j'avais peur que le
train passe précisément pendant mon absence.
J'avais trop souvent rêvé cette scène pour ne pas
être intimement convaincu de sa fatalité. Je me
priverais donc de lecture. D'ailleurs l'éclairage
était mauvais, le réseau de lampes suspendu à une
hauteur étonnante. On aurait dit que la lumière
n'arrivait pas à occuper tout l'espace, qu'elle
s'épuisait avant d'arriver à hauteur d'yeux. Il

est vrai que plusieurs ampoules étaient brûlées et qu'on avait négligé de les remplacer.

Autant que je pouvais en juger par ce qui avait résisté aux couches successives de peinture, aux exhalaisons de quatre générations de fumeurs et à l'impitoyable chauffage au mazout, les caissons du plafond avaient dû composer un bel ensemble géométrique dont on n'arrivait plus à saisir le dessein. On devinait des ombres acérées, de profondeur variable suivant l'angle de la lumière, là où il n'y avait plus que des formes approximatives et des écaillements laqués.

À l'exception du panneau des guichets et de l'indicateur, les murs étaient couverts de mosaïques que sans doute on n'avait jamais nettoyées, si bien que les motifs avaient acquis une teinte uniformément grise. Le gris du travail. Là des équipes de poseurs de rails attaqués par des Indiens des Plaines et des Métis. Plus loin le brouet insipide qu'on sert aux travailleurs au moyen de louches démesurées pendant qu'en arrière-scène des cavaliers poursuivent des bisons. Puis au gré de mon regard, des bûcherons coiffés de tuques qui équarrissent les billes dont on fera les dormants, des dynamiteurs occupés à lire les veinules de la pierre (les caisses d'explosifs naïvement déposées à leurs pieds), le métal qu'on coule et qui deviendra la longue ligne polie *a mari usque ad mare*, des allégories du Progrès, flambeau à la main, désignant de l'œil le Proche-Avenir. La scène centrale de ce

chemin de croix ferroviaire occupait un pan de
mur complet auquel curieusement nous tournions
le dos. J'imagine que les bancs de la salle des
pas perdus n'avaient pas toujours été orientés de
cette manière, car la vaste mosaïque était propre-
ment édifiante. On avait voulu tout rassembler de
l'Église et de l'Empire dans une même scène :
messes enthousiastes en plein air, croix de Gaspé
et poteaux totémiques kwakiutls, présidents à
gibus qui coupent des rubans, foules chantant
God Save the King en voyant arriver la première
locomotive.

La simplicité des encadrements de bois
étonnait dans un édifice qu'on avait visiblement conçu comme une cathédrale laïque ; ils
étaient en tout point semblables aux chambranles
des portes et des fenêtres alors que tout, les
dimensions, l'écho long et sombre, la prodigalité
de la mosaïque centrale, tout concourait à la désignation du grandiose, du monumental. L'enchâs-
sement des baguettes saturées de vernis créait
un effet de profondeur que les petits carreaux
de céramique étaient impuissants à suggérer. Ce
qui me fascinait, c'était moins l'anachronisme
des cadres que le raccord qu'ils permettaient
entre les murales figées et les tableaux vivants
des fenêtres et des portes. Ici on avait déjà cru au
train, des locomotives étaient entrées en gare de
l'autre côté des vitres fuligineuses, des chanoines
énervés avaient aspergé le quai à grands jets de
goupillon. Je me disais avec un brin d'irritation

que le train était déjà passé ici, même si notre attente rendait la scène difficilement crédible...

Par moments quelqu'un entrait et venait brouiller de ses pas l'abîme sonore de la gare. Comme c'était dimanche, il faut croire que l'animation, quoique restreinte, devait être plus grande qu'à l'accoutumée. On se saluait d'un geste, d'une parole sur le sale temps, sur le foutu pays qui donne des hivers de même. Des amoureux se bécotaient en se quittant (les yeux inquiets du petit jeune homme, toute la peur de perdre sa blonde qui prendrait le train pour Québec, car sans doute avait-elle le lendemain matin un cours à l'université, elle étudie la sociologie, tiens, dans deux ans et demi – elle compte déjà le temps à rebours – elle aura son bac en poche, elle ne reviendra pas ici, mais qu'importe, à ce moment-là ils ne seront plus ensemble). Chacun finissait par s'asseoir en silence.

Il y avait bien eu l'arrivée en gare de l'express de Montréal, lui-même dérisoirement en retard de ... – j'avais renoncé à cette exaspérante arithmétique. La gare s'était vidée à moitié avant de céder à un silence encore plus grand. Je sentais que l'état d'accablement dans lequel je me trouvais finirait par venir à bout de l'inconfort des bancs et que j'étais condamné à sombrer dans une somnolence grise et insurmontable. À force de le triturer, j'avais hérité d'un temps déformé. Tout avait acquis la teinte indécise du lointain. Je n'étais pas plus près de Québec que de Tours. Le passage de l'express de Montréal n'avait constitué qu'une diversion et il aurait pu remonter à un mois que je n'en aurais pas été surpris outre mesure. De cette fin de semaine il me semblait de plus en plus difficile de préciser un début et une ..., de retenir un souvenir autre que l'absence de livre et de journal. Peut-être que quelque part des gouvernements avaient été renversés, la terre avait tremblé, la longue chaîne de l'irréparable s'était momentanément brisée. Je n'en saurais rien. Nul ici n'en saurait davantage, comme si l'absence de journaux, le passage du train soumis à l'humeur du Hasard et la torpeur du lieu nous avaient exclus du monde. Dehors une fin de semaine perdue, dedans une soirée perdue, même cela n'avait guère de sens. Pourtant je cherchais à résister, il le fallait, à fixer mon attention à quelque résolution pour ne pas céder au sommeil et ainsi perdre toute chance de regagner Québec, cette chance reposât-elle sur la plus haute improbabilité. Le décor qui avait un temps capté mon attention ne m'était plus d'aucun secours. Au contraire, les différentes mosaïques, du fait de leur composition parcellaire et du dérèglement de ma vision somnolente, me semblaient pouvoir échapper à leur cadastre pour se remodeler en des interversions inquiétantes, confondant l'Histoire à dessein d'en souligner l'impuissance et la caducité dans un ordre où l'anachronie se jouerait de notre raison comme un prince fou.

L'immense salle avait continué à se dépeupler sans que j'y aie d'abord porté attention. Pourtant comme le train n'arrivait pas, rien ne me paraissait justifier la désertion progressive que je constatais à chaque sursaut de conscience. Du moins cela m'assurait-il du succès partiel de mes efforts pour me garantir du pouvoir hypnotique des multiples carreaux de céramique comme de la survie en moi de l'espoir que le train vienne me délivrer.

Sur le banc en avant du mien, un homme, moins heureux (?) que moi et que je n'avais vu autrement que de dos, avait fini par s'endormir – je le voyais à l'abandon musculaire du cou, à la tête qui s'incline. À ses côtés, quelqu'un s'était levé, lui avait jeté un regard qui m'avait rendu mal à l'aise tellement j'y avais lu du mépris. J'aurais été carrément troublé que ses yeux s'adressent à moi, qu'il me destine ce dédain contenu dans une action sèche dont il avait seul l'usage, d'autant plus qu'il y avait joint le geste d'enlever de la poussière sur ses manches avant de sortir et d'abandonner le voyageur endormi à une torpeur qu'on aurait pu croire définitive.

Du fond de ma léthargie, je me rendais compte que loin d'être réservée à mon infortuné compagnon d'attente, la scène se répétait et que le dépeuplement du lieu répondait toujours au même scénario : dès qu'un voyageur se perdait dans le sommeil, il s'en trouvait un autre pour se lever comme s'il n'y avait rien eu de plus pressant que de fuir le dormeur et de lui abandonner un ultime rictus de dédain.

Le tableau m'était odieux et pourtant il accroissait en moi l'impression d'ensablement. J'étais comme ces âmes souffrantes que la douleur des autres achève, moi qu'une contrariété stimule en temps normal. J'en étais rendu au point où les images vacillent, où les formes se réduisent à d'incompréhensibles géométries, où la pensée s'abouche aux pictogrammes du *terrazzo*. Vite parler. Briser le charme. Par delà ma volonté déficiente, attirer l'attention de celui qui partageait mon banc, percer l'impassibilité qui ne me donnait de lui qu'une vague configuration.

Ni visage ni secours. Je comprenais trop bien que tout à l'heure, tout de suite, il se lèverait et gagnerait la nuit après avoir versé sur moi l'expression de sa répulsion.

INCIDENTS GROUPÉS

Perreault au lavoir

P erreault n'était plus allé à ce lavoir depuis
    quelques années, en fait depuis que la percée
d'un grand boulevard avait coupé cette portion
de quartier de celle qu'il continuait d'habiter.
Mais voilà, un rendez-vous important, le lendemain à la première heure, un rendez-vous dont il
escomptait un emploi, un rendez-vous imprévu
arrangé le soir même le contraignait à traverser
le boulevard comme une frontière d'angoisse et
à retourner au lavoir de ses anciennes habitudes,
car il croyait se souvenir qu'il fermait très tard
et que c'était le seul endroit où il pourrait laver-
sécher la chemise qu'il estimait indispensable de
porter lors d'une entrevue.

Il s'était surpris de ne plus reconnaître tel
pâté de maisons, telle impasse, telle courbe
pourtant particulière dans le tracé d'une rue puis,
à l'inverse, de redécouvrir sous leur masque de
décrépitude tels et tels édifices, telle perspective pourtant lacérée de traces d'incendie, de
démolitions et d'excavations laissées en plan,
de constater comment la création d'un axe per-
pendiculaire à l'étalement historique du quartier

avait délimité une nouvelle borne à ses allées et venues. Le quartier du lavoir cessait d'être le prolongement de son habitat et il lui serait devenu totalement étranger s'il n'avait lu dans les journaux qu'on y projetait des ensembles résidentiels chics, des restaurations coûteuses et des lotissements récréatifs. Ce qu'il voyait, c'était plutôt une tranchée derrière laquelle on avait cassé les trottoirs, creusé des trous et dressé des armatures à béton. La spéculation avait chassé une partie de la population si bien qu'il s'estima chanceux qu'on n'y ait pas fermé le lavoir.

Il n'y avait personne dans le petit établissement, ce qui au fond l'arrangeait assez, car il détestait les promiscuités d'occasion où la conversation forcée se réduit fatalement à l'humidité relative, aux machines qui *chessent* de plus en plus mal, monsieur Chose, et qui laissent sur les vêtements une vague odeur de mazout. Après avoir réparti les brassées et dosé l'eau de Javel et le savon pour la précieuse chemise, il s'était affalé, ne sachant trop où poser le regard dans cet assemblage hétéroclite de machines de grosseurs et de couleurs différentes.

Il avait soupé avec Georges, et comme chaque fois que l'occasion s'en présentait, quelque chose était resté accroché qu'il n'arrivait pas à digérer. Son amitié pour Georges, qu'il distinguait mal de son inimitié, remontait à l'enfance. Même âge, même école, même éducation à col serré, même adulation pour Jean Béliveau. Pourtant Georges était fonctionnaire, lui rien. Un fonctionnaire à qui il reprochait *in petto* son absence de ce qu'il appelait des principes. Ces silences-là finissent par devenir si opaques qu'ils vous enfument le cerveau.

L'ennui c'est qu'on ne pouvait rien reprocher à Georges hormis son succès, Georges le cœur sur la main, Georges toujours prêt à dégoter quelque chose pour tout le monde (ampli, voyage de pêche, billets pour la semi-finale), Georges qui précisément l'avait invité à souper pour lui parler de cette entrevue du lendemain, Georges qui ferait jouer son influence pour le pousser au ministère (allez quoi, entre copains).

Georges était fonctionnaire comme on est agent secret au cinéma, y puisant de la passion, des énigmes, des trafics d'influence comme si travailler au ministère le mettait au fait de toutes les querelles gouvernementales, de toutes les accointances entre les pouvoirs. Georges prédisait les remaniements ministériels, la hausse des taux d'intérêt, la signature de tous les contrats-du-siècle, l'ampleur du déficit annuel et savourait ses triomphes. Or, ce soir, il venait de lui prédire un emploi.

On a beau trouver que Georges est un nom ridicule, en éprouver secrètement quelque plaisir comme si le suave Georges était condamné à traîner ce prénom *ad vitam æternam* comme un gros nez, car le prénom vous devance et s'est déjà inscrit dans la conscience des gens avant même que vous leur ayez serré la main, on a beau s'engluer dans l'épais mélange du ressentiment, de l'inconfort et de la honte face à sa propre ingratitude, on ne peut rester insensible devant la perspective d'un emploi après des mois de chômage. Tout cela s'agitait au rythme des brassées de lessive et Perreault soupirait de ne plus pouvoir s'y retrouver dans cette méfiance à l'endroit du ministère – et cet espoir en même temps –, dans les sentiments ambivalents peu avouables qu'il entretenait à l'égard de Georges le sauveur, Georges le barguineur. Car Georges barguinait même les idées. Encore ce soir ils avaient eu une discussion âpre où, comme toujours, Perreault avait capitulé devant les arguments simples de l'autre, des arguments d'autant plus irréfutables qu'ils étaient émis d'un seul bloc, sans la moindre fissure ou saillie, la moindre inquiétude dialectique, ces arguments monodiques qui font que *beati pauperes spiritu,* que faute de pain on mange de la galette, que c'est bien plus facile de chialer que d'agir et qu'on perce des boulevards pour que le peuple automobile coure plus aisément.

Le séchage n'offrait guère de palliatif à sa réflexion, si ce n'est que le mouvement rotatif du linge qui plonge sur lui-même rappelait cruellement à Perreault qu'il tournait en rond, qu'il n'avait jamais fait que cela alors que des types comme Georges *avancent dans la vie,* croient au progrès. Et lui, le lendemain, peut-être devenu fonctionnaire, qu'est-ce qu'il ferait de tout cela ? Serait-il un nouveau chantre de la réussite, chercherait-il à oublier ce soir de lavoir où il n'a de salaire que la dérision, regardant du linge mal lavé virevolter dans une cage à écureuil, ayant envie de prendre un Georges à témoin de ce que le mouvement perpétuel existe et qu'il a un prix, vingt-cinq cents, de ce que cette rotation des chemises, des culottes, des caleçons, des linges à vaisselle sur eux-mêmes doit avoir une haute signification philosophique, du genre le-serpent-qui-se-mord-la-queue, le flux cosmique, l'éternel retour, l'alpha et l'oméga ?

En insérant une troisième pièce de monnaie dans une des machines et en pestant contre son inefficacité, il remarque que l'autre sécheuse ne s'est toujours pas arrêtée, qu'elle est encore sur la lancée du premier trente-sous. Il a d'abord cette joie aigre d'avoir économisé cinquante cents, d'avoir déjoué un anonyme propriétaire de lavoir qu'avec une mauvaise foi consentie et magnifique il imagine grippe-sou, bouffi, vêtu de fortrel et sentant fort la transpiration. Tout de suite il s'en veut de cette impétuosité bon marché, de ce plaisir vicié tiré de la ridicule économie de bouts de chandelle qui trahit la précarité de sa situation.

Il finit par craindre que le lavoir ne ferme avant qu'il en ait terminé, que le maquignon du cerne vienne chercher sa récolte de monnaie (qui tintera bruyamment dans la boîte de tabac qui lui sert de caisse) et lui dise sans aménité de vider les lieux. Un coup d'œil à la montre, un autre à la sécheuse : elle tourne toujours. L'autre brassée est maintenant pliée, engouffrée dans le grand sac vert et il se décide à enfreindre la consigne qui interdit d'ouvrir la porte d'une machine en marche *pour votre sécurité*. La porte résiste, le linge tourne toujours, la chemise est là de l'autre côté de la vitre, elle a visiblement oublié l'usage auquel on la destinait, elle s'amuse comme au manège, Perreault a peur qu'elle n'en vienne à roussir s'il ne parvient pas à stopper la sécheuse. Il n'y parvient pas, n'y parviendra pas. Aucun interrupteur visible. Et le bouffi qui ne vient pas.

Il s'énerve, veut sortir, prendre quelqu'un à témoin de sa situation même si cela n'y change strictement rien. La porte vitrée ne s'ouvre plus. Il s'échine contre la poignée, tire de tout son poids, est pris d'un doute, pousse aussitôt des bras puis des pieds. Qu'il souque ou qu'il rue, la porte résiste. À s'agiter ainsi, l'idée le gagne qu'un passant pourrait survenir et glisser une pièce de vingt-cinq cents dans la serrure.

Rumeurs

Il n'y a pas si longtemps, on m'aurait demandé ce que signifie le mot *rumeur* et j'aurais répondu que c'est une figure de style commode dont j'abriais volontiers ma fragile quiétude avant de dormir, surtout par gros temps, dans une chambre de motel du bord de la mer. Bien sûr j'en connaissais le sens courant, j'écoute la télé, je lis les journaux, j'assiste au lassant spectacle des réputations qui se font et se défont. Mais tout cela semblait si loin de moi, comme un jeu d'embrouilles auquel on consent dès que l'on a des ambitions politiques. Alors que la mer, quand on n'est pas né sur ses rives... Son bruit la nuit qu'on ne peut pas appeler un bruit : la sourde rumeur de la mer.

Je ne suis pas bégueule pour ce que j'appellerais les choses du bavardage. Je m'en laisse facilement conter à l'heure du café. Et je n'ai pas mis longtemps à comprendre que dans mon métier les nouvelles courent vite. Rencontrer chaque semaine, de Lévis à Gaspé, une trentaine de clients baratinés par une dizaine de représentants comme moi, tous possédés par la lueur d'avancement, tous persuadés que le travail serait plus facile si. Alors on parle, la récession a été dure, il faudrait changer cela et cela, les patrons dans leurs bureaux sont trop loin du terrain, Harnois a l'air fatigué. Sans doute étais-je un partenaire distrait à ce jeu de la relance, car j'ai toujours eu la naïveté de croire qu'il y avait des limites à notre commérage.

Un client bien intentionné, presque attristé, m'a dit regretter mon départ de chez Dupuis Dupuis. Le boulot ne pousse pas dans les arbres, enfin je devais avoir de bonnes raisons puisque j'avais démissionné. J'ai tout de suite nié et ma surprise était telle que sans doute mes dénégations ont sonné faux à force d'avoir l'air vrai. Et le lendemain à Matane. Et le surlendemain à Rimouski et à Rivière-du-Loup. Ce que j'avais d'abord pris avec un grain de sel commençait à m'agacer, j'ai voulu savoir qui, on ne se rappelait plus bien, on voit tant de monde dans une semaine...

De retour au bureau le vendredi, j'ai été invité à prendre le café par Jean et Jacques Dupuis. Les commandes toujours bonnes ? Le nouveau produit bien accueilli ? La route pas trop glissante ? Ils avaient bien connu ça eux aussi le crachin, les lacets de la route et encore, dans ce temps-là, c'était bien pire. Toujours satisfait du boulot ? Je les voyais venir et ils ne m'ont pas déçu. J'ai encore nié, mais alors sans surprise. J'aurais dû comprendre tout de suite qu'ils croyaient bien davantage la rumeur que moi-même.

Irrésistible persuasion des voix invisibles. Et moi qui jamais ne réagis à la nécessité de rétablir les faits, qui ai perdu à l'adolescence le réflexe de me jeter dans la bataille du vrai et du faux. Sans chercher à me creuser une planque chez Dupuis Dupuis, je n'avais pas envisagé d'en partir. Pour une fois, j'aurais dû poser la situation objectivement et montrer que les cancans ne reposaient sur rien. Mais peut-être aussi qu'une telle démonstration n'aurait servi qu'à confirmer mes prétendus desseins. On ne sert bien ses patrons qu'aveuglément, la satisfaction béatement accrochée aux lèvres.

Le café s'est éternisé. L'interrogatoire. Mon passé parlait contre moi. Jamais plus de deux ans au même endroit. Mais quelles raisons aurais-je eues de partir ? Toutes et aucune. Je n'ai jamais été heureux dans ce boulot, ni plus ni moins que dans aucun autre que j'ai fait auparavant. Je n'ai jamais cru au bonheur dans le travail ni au bonheur tout court. Mais ça ne regarde que moi. Il y a un boulot et j'essaie de bien le faire, que ce soit chez Dupuis Dupuis ou ailleurs. Mais là j'étais chez Dupuis Dupuis. Voilà toute ma défense.

Ils m'ont demandé de faire un choix : Dupuis Dupuis ou les Distributions Unies. Je tombais des nues. Quoi encore ? La peur des frères de voir leurs chiffres révélés à la grande compagnie rivale, de perdre des clients. Tiens donc, ces clients pour lesquels je n'avais jamais eu le moindre mérite pouvaient donc m'apprécier au delà du label de la compagnie ? C'était bien la première fois qu'on me reconnaissait cette qualité.

C'est comme ça que le ton monte et que se produit l'irrémédiable. Écœuré par l'hostilité suave des Dupuis, par ma désignation de plus en plus claire comme ennemi de la petite entreprise familiale, comme traître, j'ai eu le geste qui dit foutez-moi la paix. Il était trop tard, j'avais démissionné. À moins que ce ne soit le plus sanguin des jumeaux, Jean, qui m'ait congédié. Je ne sais plus. Ne reste plus de ces instants que des éclats de voix. Mon esprit est paralysé par les crises, j'en dis trop ou pas assez, incapable de discernement, et je suis chaque fois surpris par ce qui survient.

C'est de la folie. Je venais de perdre mon emploi sans trop comprendre ce qui était arrivé sinon que ça devenait une habitude et que tout dans mes réactions accréditait la rumeur. Les Dupuis étaient certains d'avoir eu raison : il n'y a pas de fumée sans feu. Et jamais je n'aurais été capable d'aller jusqu'au bout – il fallait donc que j'aie déjà ma place ailleurs. Non jamais je n'en avais été capable : jusque-là les circonstances avaient décidé pour moi, récession, réorganisations du personnel, m'avaient forcé à de constantes mutations professionnelles. Je n'avais pas trente ans que déjà je pouvais me vanter des trente-six métiers trente-six misères. Cette fois-ci on croirait que j'avais dit leur fait à mes patrons, que je m'étais offert la démission fracassante, le geste obscène, le théâtre de la colère en épilogue à une décision blindée. Je n'avais même pas eu ce plaisir. Et on remonterait mon curriculum vitæ comme une chaîne de démissions, les pièces à conviction de mon instabilité chronique. La nouvelle s'est répandue très vite. Tout de suite les Distributions Unies m'ont contacté. Je me suis senti piégé, j'ai demandé à réfléchir puis j'ai refusé. Ça aussi c'est de la folie. Hésiter. Il fallait dire oui ou non immédiatement. Dire oui. Un boulot et des clients que je connais déjà, un simple changement de catalogues. Mais mon refus d'ajouter une certitude aux inébranlables Dupuis, de suivre la rumeur à la lettre, de la laisser dicter ma vie. Mais ce n'était que le début. Car il y a eu pire. Françoise. Quand j'ai su dans un bar que Françoise et moi ce n'était plus comme avant, enfin que tout le monde se faisait à l'idée de notre rupture, j'ai été atterré. Qu'est-ce que ça peut bien foutre aux autres que Françoise et moi ? Nos existences sont-elles mornes au point qu'il faille fouiller dans la vie des autres pour s'exciter ? Allez tous chez le diable !

*   *   *

Je n'ai jamais su comment naissaient mes disputes avec Françoise. Chez elle comme chez moi, nulle préméditation ou embuscade.

Plutôt une conversation qui tourne mal, une phrase déviée de son cours, le timbre de la voix qui s'assombrit, un verre de trop parfois. Tout s'enchaînait avec une irrémédiabilité telle que je perdais pied, effaré, ne comprenant pas que le banal vire au grave, littéralement hypnotisé par l'idée et le cours de la querelle, incapable d'être avec Françoise autre chose qu'un projectile perdu dans une trajectoire pugnace.

Il aura suffi que cette glissade folle un jour soit plus longue, si longue que ni Françoise ni moi n'en voyions la fin pour que chacun se dise prêt à faire sa valise, incertain de ce qui s'était passé mais convaincu de la nécessité de rompre parce que la communication s'était brisée – avait-elle jamais existé ? Et cette fois-là, ni elle ni moi n'avons trouvé la force de poser une résistance à la fatalité, du moins ce que nous avons trop vite pris pour la fatalité. Sans travail et bêtement, j'étais devenu amer, inatteignable. Mais ça n'explique rien. Je n'ai pas voulu de cet alibi. Nous n'étions plus ensemble, voilà tout.

* * *

C'est moi qui suis parti. J'en avais le temps. J'ai toujours su que le jour où entre Françoise et moi il n'y aurait plus cette chose ultime, ce rempart mutuel du toi et moi, il me faudrait quitter Québec, enlever à mes pas les trajets amis, trouver une autre toponymie. Ne pas

courir le risque de la voir dans la béance du quo-
tidien quand le simple fait de traverser une rue,
d'ajuster son béret déroberait sous mes pieds le
fil qui tient lieu de présent.

Je voudrais disparaître, me cacher dans une
ville où personne ne me connaît, une ville que la
rumeur n'atteint pas.

Vous devez beaucoup rêver

Il m'avait dit, l'air d'y croire accroché à ses yeux blancs : « Vous devez beaucoup rêver. » Je ne m'étais jamais vraiment posé la question. Et en y pensant bien, car l'autre de toute évidence attendait une réponse, je m'étais rendu compte que non, à vrai dire je ne rêvais pas, enfin pas beaucoup, du moins je ne croyais pas, d'ailleurs j'étais absolument incapable de me rappeler quelque rêve que ce soit. Un peu comme si on m'avait demandé si je parlais arawak – tiens, non.

Il était déçu, ça se voyait. « Pourtant, j'aurais cru... » Quelle importance cela pouvait-il avoir ? En quoi cela pouvait-il le décevoir ? Est-ce que je demande aux gens moi de voir des chevaux, la mer, des boîtes de calmar géantes, des tresses de téléphone ou des escaliers troués pendant leur sommeil ? Et puis c'est qu'il commençait à m'agacer avec ses manières d'interrogatoire et de désolation. « Et ce n'est pas tout, que je lui ai dit, je n'ai pas d'ambition – je me mettais à crier –, je n'élève pas d'écrevisse dans ma baignoire et je ne mange pas d'yeux crus ! »

Je haletais, j'avais le front mouillé. Il n'y avait pas à en douter, j'avais rêvé.

Points de suspension

Sa hantise, en tous lieux tous moments, oublier (pire : perdre) quelque chose : documents (par dizaines : cafétéria, métro), caméra (c'est déjà fait : Boston, mai dernier), clefs (jusque dans ses rêves, surtout là), monnaie, porte-monnaie, la couleur de l'Atlantique à Concarneau en 196?, la voix de William Holden dans *Sunset Boulevard,* le goût du Pernod sitôt avalé.

Il a ses théories pour expliquer tout cela : insécurité, privations d'enfant (son père : tu ne connaîtras donc jamais la valeur de l'argent?), son insatisfaction de pourvoyeur (il a lu *Le singe nu* de Desmond Morris l'an passé : Paris, éditions Grasset, 1968). Il lutte : il met son nom partout, son adresse, son numéro de téléphone (à la maison, au bureau), de temps en temps, il procède sur lui à des fouilles minutieuses (le chapeau : sur sa tête ; les gants : aux mains ou dans les poches ; les cigarettes : sur son sein ; le briquet : merde, le briquet). Acheter des allumettes en sortant du métro. Sur le comptoir de la tabagie : ses gants. Mais lui, il est déjà parti.

Aujourd'hui, vendredi après-midi, il s'absente du bureau, il s'offre la primeur du *Satyricon* (première représentation : 1:30 PM). On prétend déjà que ce sera le meilleur film de cette année 1969. De l'autre côté de la rue, le cinéma, plein de promesses : pas de file d'attente, au-dessus de l'entrée, les lettres géantes FELLINI SATYRICON.

Soudain, en marchant, l'absence de sensation sur la fesse gauche, comme si le porte-monnaie n'y était plus. Il ralentit. Il ne traverse pas la rue. Il connaît trop bien cette impression de vide sur la fesse gauche. Et s'il avait raison, si le porte-monnaie n'y était plus ? Tombé, volé. La vérification à laquelle il devra pourtant se résigner. La crainte que ses doigts constatent la disparition de la bosse sous le polyester. Ce moment sans cesse différé. Le geste de sa main vers sa poche reste suspendu.

Suspendu.

À la fin, il ose. Ses doigts moites et pourtant raidis reconnaissent le porte-monnaie dans la poche. Il soupire de soulagement, calcule qu'il lui reste cinq minutes avant que le film ne commence, traverse la rue, relève la tête : on jurerait que la façade... Au programme : *Star Trek VII*, 3e sem.

To Dale Carnegie, with love

Puisque de toute façon ce *dîner d'affaires*
m'était une corvée et que j'avais malgré cette
certitude jugé nécessaire d'y assister – j'avais pris
l'habitude de transporter mes muettes ambitions
de cocktails en dîners –, je supportais silencieu-
sement l'atmosphère étouffante du lieu. Peut-être
tout le monde éprouvait-il une gêne semblable à
la mienne, car nul ne disait le moindre mot.

Depuis une dizaine de minutes (peut-être
moins, tellement le temps s'allongeait dans ce
silence aride), je posais un regard que je voulais
connaisseur, tout à la fois discret et appuyé dans
son appréciation, sur les meubles, les boiseries,
les tentures inévitablement grenat et la verrerie
de la salle à dîner. Tout cela faisait terriblement
d'époque et ne suscitait en moi d'autre envie
que celle d'être remarqué par les maîtres de la
maison, inconnus de moi mais visiblement sujets
à des crises de folie dépensière. Je mesurais *in
petto* tout l'intérêt qu'on peut retirer à être favo-
rablement considéré par des gens prodigues.

Je retardais le moment de manger, non pas
tant pour multiplier les ronds de jambe que je ne

savais à qui destiner, mais parce que j'attendais des autres convives l'exemple tacite de la façon correcte d'attaquer le crustacé au menu. Je ne me suis jamais départi de mes mauvaises manières à table, incapable de choisir dans le service de couteaux et de fourchettes, les changeant de main cent fois par repas, les maniant comme des armes blanches, ce qui donne à la dégustation d'un simple steak une allure de combat. D'autant plus que je suis droitier comme on est invalide, ne disposant de ma gauche que par arrangement symétrique.

Cette incurie, particulièrement déplorable sur fond de dentelle, aurait suffi à m'imposer le silence. Mais je craignais par-dessus tout d'avoir à nommer ce que je devrais me résigner à manger, car j'ai relégué dans la mystérieuse catégorie des *fruits de mer* escargots, pétoncles, palourdes, homards, artichauts, pistou et mortadelle.

En toute autre circonstance, j'imagine que je me serais mis à rire quand un des convives éructa. Si sa présence à cette digne table s'expliquait par un motif semblable au mien, son affaire tombait à l'eau.

Comme si on avait voulu lui répondre, une nouvelle éructation, brève et légère certes, mais parfaitement audible, transperça le silence. J'avais cette fois eu le temps d'en apercevoir l'auteur, un jeune fils de bonne famille pour lequel j'avais dès mon arrivée éprouvé de l'antipathie, élégant avec la coutellerie, sûr avec le crustacé de cette assurance dont témoignait son riche veston de velours.

La table s'animait enfin et les rots, de toutes tonalités, ne tardèrent pas à se multiplier. Je restais pantois devant cette curieuse polyphonie dominée par le timbre râpeux des barytons. On s'enhardissait même à mugir des bâillements sonores et profonds jusqu'à la luette.

De mon étonnement à voir ces bouches barbouillées de sauce s'ouvrir démesurément, bramer des rots replets que je devinais chargés d'ail, j'avais résolu de ne rien laisser paraître. Conserver ma dignité, même si je devais être le seul à avoir pareil souci, devant mes hôtes inconnus. Eux sauraient bien me reconnaître.

Le ton montait, à un bout de la table un homme à tête de ministre grasseyait ses éructations d'une sonorité aiguë qui étonnait, vu sa corpulence. Chacun essayait visiblement de lui plaire en hochant la tête d'un air entendu au moindre bruit que sa bouche laissait échapper.

Mon voisin de table se tourna vers moi. De peur qu'il n'engage la fatale conversation sur les mérites du menu – le crustacé me tenait tête –, je le pris de vitesse, prononçai ces paroles que je gardais en réserve depuis mon arrivée en cas de danger :

« Beau mobilier, n'est-ce pas ? »

Le tumulte cessa instantanément. Le mobilier, les tentures grenat, mon voisin, eux tous posèrent sur moi le regard accablant de leur unanime réprobation.

L'homme invisible

Maintenant que le fait est notoire, je commence à comprendre. Il aura été ce genre d'homme que tout le monde prétend avoir connu alors qu'en réalité il était toujours passé à peu près inaperçu. Moi-même je ne m'en prive guère : lui par-ci, lui par-là, étudiant discret, compagnon effacé, travailleur anonyme. Portrait de la majorité silencieuse avec jeans.

Il reste qu'on ne lui connaissait ni amis (à part nous tous), ni amours, ni passions (ne restent-elles pas toujours secrètes ?), ni boulot précis (qui d'entre nous en a un ?), ni résidence. Je suis maintenant certain de n'être jamais allé chez lui ni même d'en avoir eu l'intention ou l'occasion.

Il était néanmoins de toutes nos soirées (à l'anniversaire de Marie-France, j'en mettrais ma main au feu), d'humeur égale, sans opinion précise sur la politique, les vins italiens ou les pluies acides. Sans doute s'est-il peu à peu rendu compte de sa faculté de rester en retrait, d'être quelque part tout en n'y étant pas. Homme de marge. Souvenir imprécis caché dans des présentations rapides, des poignées de main automatiques, des virées en groupe. Nous commençons à y croire ; il n'aura été en somme que le premier à comprendre.

Je l'imagine se livrant à une ascèse qui peu à peu mais infailliblement le soustrait à l'attention des autres – l'ascèse du pauvre type. Jusqu'au jour, peut-être quand on a fêté Isabelle à son retour du Mexique, où quelqu'un s'est permis quelques sous-entendus en sa présence, sans le remarquer, puis, encouragé par le silence consentant, s'est avisé de parler de lui comme s'il n'y était pas : ça ne vous embête pas qu'il ne nous invite jamais chez lui ? il est assez près de ses sous, non ? etc. Il a alors été sûr de sa réussite. De sa parfaite réussite.

Son nom ? Au fait, l'ai-je jamais su ?

Après le générique

Il ne se fera pas bêtement avoir à la sortie du cinéma. (Eux assis dans une auto pareille à tant d'autres – l'immatriculation bidon –, garée le long du trottoir, prête à démarrer sur les chapeaux de roues, comme un cliché sans âge, sitôt faite la sale besogne.)

Ni dans les chiottes. (Un poisson d'avril sanglant épinglé entre les omoplates. Le travail sans bavure, sans cri, de Tit-Cul et Tiger.) Mourir la tête dans les pastilles de naphtaline, oh non !

Dès le milieu du film, il s'est su repéré. Ils ne savent pas qu'il sait. Pas encore. Il n'a pas bougé. Il a l'avantage du film : sur l'écran des types moches s'énervent, se mettent à crier. En moins de deux on les fait hurler – en plein où ça fait mal – avant de les couler dans le béton. Ne pas montrer sa peur – ces gars-là, c'est des chiens. Feindre l'ignorance, se taire et attendre l'occasion. Mais voilà, le film va bientôt finir et toujours l'indécision sur la conduite à tenir – il ne pourra pas passer la nuit là. La peur réelle qui le cloue sur place.

Le dernier spectateur a lu consciencieusement le générique comme si ça pouvait foutre quelque chose le nom des habilleuses, les remerciements à la commune de Calembourg (Calvados). Lentement se passe au cou un foulard que minutieusement il noue – coquet. Enfin sort.

C'est à son tour de jouer. Jouer sa vie. On va fermer. Le placier à chemise bourgogne va venir lui braquer une lampe de poche en plein visage. Il maudit la longue hésitation. Regrette de ne pas être déjà hors du cinéma, loin. Sur une plage des Tropiques avec du rhum et des filles à cuisses. Pour ça il aurait fallu jouer gros. En Normandie, ils ont des casinos, eux. S'il n'agit pas tout de suite, il est perdu. Les autres vont s'étonner de ne pas l'avoir vu sortir. Vont rappliquer.

L'idée, enfin. Il se glisse comme une ombre par la porte latérale qui donne sur la ruelle. Personne avant lui n'y est passé. Sitôt la porte refermée, avec douceur, sûr de n'avoir pas été entendu, il commence à courir. Les jambes, d'abord molles, suivent. Le vent à ses oreilles, des souvenirs de cheveux longs qui scandaient ses premières courses sur ses tempes. Il avait quinze ans. Ses premiers dépanneurs, ses premiers larcins. Ses premières soirées au cinéma. Le repos du voleur. À ses oreilles, une chanson de ce temps-là, rock, stupidement, en anglais – jamais compris les mots –, les détritus, les poubelles renversées, le souvenir soudain de New York l'automne. Jamais allé pourtant. D'autres films. NY, une autre saloperie. Forty Second Porno Defonce Peep Show Narcs Whorehouse Gono la bande du Marseillais. Les salauds. Ce ne peut être que le Marseillais. C'est dans ses manières éliminer un gars sans raison. Enfant de chienne d'importé. Tit-Cul et Tiger qui font la job pour un importé ! Saloperies, saloperies, saloperies. Sa course faiblit, il vient près de renoncer. Tourner le dos à toute cette saloperie dans l'espoir qu'une balle le fauche. Tout de suite.

Par terre, une balle de tennis qu'il voit au dernier moment. La cheville a tenu. Pas le pantalon. Des enfants auront joué au hockey, dans la ruelle, l'auront oubliée, perdue. New York envolée. Il est *ici*. Un coup d'œil derrière. Encore personne. Et si tout n'était pas perdu ? Maintenant il sait qu'il va se battre (fuir) pour qu'il y ait demain, Ginette, du hasch, les yeux de Ginette éperdus de hasch.

Ses espadrilles laissent une traînée de silence derrière lui. Il cherche à trouver le rythme, à contrôler sa respiration et ses tempes martelées par la peur. Il voudrait que le rock intérieur le sauve. Mais comment savoir si sa course sera longue, s'il doit garder le souffle ou se désâmer en sprintant ?

Il court, n'entend toujours pas le vacarme de la grosse cylindrée qui aurait dû bondir à sa suite, le broyer parmi les boîtes de pizza vides, les journaux mouillés, les sacs éventrés et une balle de tennis.

Il court, ne reste jamais longtemps dans la même rue, se faufile entre les scintillements des néons, évite de passer devant la taverne chez Bob, feint parfois de tourner à droite et se lance à gauche (le football à l'école) dans une ruelle, enjambe une clôture – l'accroc à son pantalon brûle –, entre par un immeuble qu'il sait traversé de part en part d'un corridor qui donne sur une rue parallèle au sens unique inverse qu'il remontera à même la chaussée, à contre-courant des automobiles.

Il court mais n'avance guère plus qu'un marcheur pressé. À chaque coup d'œil qu'il risque derrière lui, rien jamais ne répond que des passants anonymes, des autos toutes pareilles, des vitrines encombrées de mannequins (jamais armés). Et toujours, ancré comme un rêve de hasch, l'espoir que Ginette demain, le désir de Ginette, sa seule force ici maintenant.

Pour ne pas abuser de cette précaire énergie, il a suivi la pente si bien que le voici entraîné vers les grandes avenues du bas de la ville. Vite il s'engouffre dans un édifice à cette heure désert, sachant qu'une galerie souterraine conduit au métro. Goldwyn-Meyer. Préparez la monnaie pour accélérer le service. Il ne sort pas de monnaie, ne franchit pas les tourniquets, regagne la rue par une autre bouche, zigzague de plus belle jusqu'à la station voisine de quelques rues où il s'engage résolument. Une autre ligne. Par chance une rame passe. Il craint un moment la lumière trop vive, les rares passagers de la voiture.

Les wagons courent pour lui, le plongent dans la nuit des tunnels. Aucun voyageur suspect.

Il masque son halètement à l'aide d'un journal oublié, ouvert à la page des sports. Une image d'entonnoir apparaît pour aussitôt disparaître. Publicité subliminale ? Graffiti obscènes sur la paroi du tunnel ? Il ne sait pas, il a mal à l'aine, ses tempes vont griller. Il sait qu'il lui est désormais défendu de rentrer chez lui, de chercher à revoir Ginette – pendant une seconde, il est amoureux. La vie est un entonnoir, c'est trop stupide – il pense quelque chose du genre, non, il souffre.

Il lui faut songer à sortir du métro. Station Place-des-Sports, il fonce, ses forces refaites. Il se retrouve devant le stade. Il devine à la rumeur que le match vient de se terminer, choisit de se perdre dans la foule. Le Marseillais ne connaît rien aux sports américains.

Un coup de vent arrache la casquette du petit homme à côté duquel il est maintenant. L'autre se penche, la ramasse, se relève, sourit, exhibe sa balafre comme une arme.

« T'as vu, Tit-Cul, qui est là ? C'est gentil de nous attendre après le match. »

La réplique ne vient pas, il confond tout, parle d'entonnoir, du Marseillais qui n'aime d'autre sport que la pétanque, de la Normandie et des Tropiques.

Tit-Cul ne comprend rien et pourtant ça semble le mettre en joie. Tiger cause, Tit-Cul rit : l'esprit d'équipe.

« T'as vu trop de films policiers, bonhomme. » Les gens autour cessent de l'être, ils s'éloignent.

«Nous autres, c'est le sport, hein Tit-Cul?»

Tit-Cul prend la réplique comme un signal. Le fugitif reçoit du sport plein le ventre et plein la gueule. Tiger sourit à retardement, ravi de l'aubaine, il ne pensait pas tabasser ce petit con-là encore ce soir. Il se dit que pour la peine il va lui faire un accroc au blouson. Un accroc définitif. Entre les omoplates.

Ils n'en mouraient pas tous

Le colt est logos, non praxis.

Roland BARTHES,
Mythologies.

Il n'y avait pas de rideaux à la fenêtre, la toile n'avait pas été baissée. Le soleil entrait à profusion dans la petite chambre, réveillait la colle suintant jaune d'un ancien papier peint, se jetait avidement sur le plancher jonché de bouteilles, sur le lit, sur le grand corps à moitié déshabillé emmêlé aux couvertures, éteignait presque par son éclat les minces diodes rouges du radio-réveil : SAT 10:20. Samedi matin, le soleil indécent des lendemains de cuite.

Des bouteilles avaient roulé sous la table de chevet, avaient laissé leurs traces erratiques sur le plancher de bois. La bière avait séché, les nuages écumants avaient tracé de brunes auréoles rageuses.

Tout pelotonné, le corps semblait ne plus jamais devoir bouger. Quoique déployé comme dans un défilé militaire, l'aigle tatoué au bras restait immobile, collé, piqué à la peau hâlée et flasque.

Le premier indice de vie fut donné par les paupières ou plutôt sous les paupières boursouflées. L'homme rêvait. Ses pupilles roulaient telles des balles captives cherchant à sortir de sous une bâche. La respiration, maintenant perceptible, émergeait du crasseux silence, s'accentuait comme dans une course. Le rêve était mauvais. De la main, l'homme cherchait à s'en protéger. Mais quelque part il tombait, un genou enfoncé dans le matelas. Un moment prisonnier, son souffle était reparti, imprévisible, souffrant, dans un dédale rythmique.

Les lèvres allaient exploser quand l'homme s'échappa du cauchemar. Il sembla surpris d'être ainsi affalé dans un lit, un gargouillis coincé au fond de la gorge, étranglé par ses draps plutôt que poignardé sur un quai du port, le *terrazzo* d'une cellule, dans son lit plutôt que sur l'asphalte martelé par des foules indifférentes qui sortent des stades comme du bétail, s'engouffrent dans le métro, qui lui avaient piétiné la cervelle, quelque part, là-bas, en dedans. Tony Truand porta la main à la tête : l'alcool avait frappé, et fort. La migraine le harcelait par saccades tumultueuses. Au milieu du dos, une coulée de rouille s'enfonçait jusqu'à l'âme.

Il valait mieux se lever que de plonger à nouveau dans le cauchemar. Le sommeil qu'il n'avait gagné qu'au prix d'une monumentale brosse ne le protégerait plus de la peur.

Et c'est la peur que Tony Truand éprouvait dans tout son être en allant à la salle de toilette calmer sa vessie, la peur que ces salauds soient là, tranquillement attablés dans la cuisine, café et revolver à la main, cachés derrière le rideau de la douche, dissimulés sur la galerie d'en arrière prêts à défoncer la porte et à l'abattre.

Personne dans la cuisine non plus que dans la salle de bains sinon son reflet qui se rua sur lui quand il ouvrit l'armoire à pharmacie. Il chercha à avaler les comprimés d'analgésique, mais sa gorge refusa de les laisser passer. La peur qui lui tordait l'estomac fit le reste.

Alors il se rendit vraiment compte de la situation : il était chez lui, vivant, le miroir au-dessus du lavabo ne l'attaquait plus, lui renvoyait placidement l'image indiscutable d'un homme s'épongeant le visage. La veille pourtant, cet homme à barbe de cendre avait renoncé à toute fuite, à tout espoir d'échapper au Marseillais. Plutôt crever qu'être condamné à mort. Il était sorti de sa planque dans le quartier du stade – où il ne travaillait jamais –, avait jeté tous ses plaidoyers de défense. Le Marseillais est sourd. Jamais il n'annule un contrat. Valait mieux rentrer à la maison pour les attendre comme d'autres s'ouvrent les veines. Mais le courage était parti. Tout ce qui vient avant la mort... Il avait bu pour s'anesthésier. Qu'elle passe à son insu.

La mort n'était pas venue. Tout était à recommencer. Il n'y avait rien à faire.

Il ouvrit le frigo. Vide. Il aurait voulu se paqueter de nouveau, ne plus rien faire que recommencer ce jeu absurde qui le noierait inévitablement dans des rêves terribles, comme si cela pouvait les faire venir, eux. Même la bière avait déserté. Par terre, le nauséabond cliché : *cadavres de bouteilles.*

Des voix soudain le pétrifièrent. Elles étaient dans sa chambre, sans gêne, parlant haut. La peur est mauvaise conseillère : à cet instant il ne voulait plus mourir, non, pas comme ça, pas les gars du Marseillais. Et pourtant il était incapable de fuir, déjà l'indicatif du bulletin d'informations le cernait, tapageur, vulgaire, mauvais joueur. Ils n'étaient pas là ! Le radioréveil s'était déclenché comme il l'avait fait sans doute tout le temps où il s'était caché, à heure fixe, lui jetant traîtreusement à la face son état de trafiquant ringard, domestique, régi par un bidule automatique qui dit aux peigne-culs quand se lever, aller au boulot, quelle équipe a gagné, quel manteau mettre. Et encore ce n'était pas assez, non satisfait de le rappeler à la vie médiocre, le lecteur furibond racontait la tragique histoire d'un mafioso tué la veille près du stade, Tony Truand, personnage sans envergure de la pègre locale dont la police avait retrouvé le corps quasi méconnaissable, ce qui laissait croire qu'il s'agissait encore de l'œuvre de la bande du Marseillais.

Si par un samedi de parano

Toute la semaine, toutes les semaines, le réveille-machin commandé à 7 h. Nouvelles de la radio trop brutales, café trop fort trop faible trop chaud, temps trop humide, circulation trop dense trop lente, patron trop...

Samedi.

Le plaisir de se réveiller par hasard, un peu plus tard. Congé de barbe, congé d'auto. Vers 9 h 30 il sort de chez lui, à pied, sans pester contre le temps sinon pour dire qu'il fait saprement froid – mais que ça donne des couleurs et que le café après ça : une mer-veil-le –, passe d'abord chez M. Café (en personne), laisse son humeur décider du mélange des fèves brunes et noires, fait un saut à la boulangerie où le pain est encore chaud, ajoute deux croissants puis revient par la tabagie prendre les journaux du samedi.

Une fois rentré, le café moulu, Pachelbel, Sammartini et frère, Albinoni, Corelli et Vivaldi (dans l'ordre) sur le tourne-disque d'un modèle ancien, très, où l'on empile les disques comme des assiettes, il laisse la brésilienne et complexe odeur se mêler aux trilles et envahir la maison pendant que les croissants sont mis à réchauffer. Il étale devant lui, dans un méli-mélo qui lui fait plaisir à voir, les bandes dessinées de fin de semaine *(Peanuts* en couleurs), les nouvelles sportives en trois versions (*Les Nordiques gagnent, Québec l'emporte, Victoire des Nordiques*), les cahiers de tourisme, les pages de cinéma. Il goûte à tout, marmelades, confitures, cretons, mots croisés, rubrique de philatélie, concerto pour mandoline. C'est samedi, le scénario est bon, il n'en change pas.

Mais aujourd'hui le marchand de café, pourtant habitué à ses hésitantes combinaisons, lui prépare son mélange sans aménité, semble regretter que le coût n'en soit pas plus élevé.

À la boulangerie on lui jette des coups d'œil en coin au lieu des sourires usuels, on lui dit : «Voilà, monsieur *Brunet*» en déposant devant lui d'un geste sec le pain et les croissants comme si tout à coup c'était devenu inconvenant de faire inlassablement le même achat. Pendant un instant il songe à rectifier le patronyme qu'on a utilisé à son adresse (ce n'est pas le sien, de surcroît il ne lui plaît pas), mais il y renonce puisqu'il a toujours été un client anonyme avant ce matin et qu'il ne lui servirait à rien de donner aujourd'hui son nom. Décidément, le quartier a mal dormi.

«Deux dollars cinq.»

Il n'arrange certes pas la situation en payant d'un billet de vingt qu'on vérifie, ausculte avec mauvaise humeur d'employé en employé, avant

103

de lui remettre sa monnaie comme à regret. À croire qu'ils vont appeler la Banque du Canada pour un pauvre petit vingt.

À la tabagie, il demande ses journaux habituels. À la mine du commerçant, il a l'impression qu'au lieu du *Soleil*, du *Devoir* et de *La Presse*, il a réclamé coup sur coup le *New Zealand Herald*, la *Dernière Heure lyonnaise* et le *Norges Handels-og Sjofartstidende*. L'autre les lui donne en y allant d'un hargneux «Tiens, mon Brunette» qui l'étonne puisqu'il n'a pas les cheveux bruns et le teint encore moins. Et cette familiarité soudaine, donc.

Se sentant menacé de grossièreté sinon d'insolence, il a bien soin de déposer le compte exact, menu billet et petite monnaie, à même la somme reçue à la boulangerie. C'est tout juste si le tabaconiste ne vérifie pas, en les mordillant à la Long John Silver, les pièces de vingt-cinq cents qui ont d'abord roulé par terre et fait remonter son lumbago à hauteur de rictus. Trois dollars. Le marchand aurait préféré des billets de un bien fripés, ça se voit.

Rentrer au trot à en oublier Albinoni, Albator, arabica et abricots pectine. À la une des journaux, un titre unanime:

Brunet accusé de fraude.

Topographie

C'est classique, je rentre du Quartier latin avec l'impression de plus en plus nette d'avoir fait un mauvais achat.

Des souliers.

Quoi que j'achète, j'éprouve toujours après coup une période d'hésitation lancinante qui ne se dissipe qu'au moment où j'ose, contre tout amour-propre, reconnaître mon mauvais choix. Il ne me reste alors qu'à endurer. Somme toute, je préfère admettre mon erreur que de flotter dans l'irrésolution ou, pire, essayer de me persuader que je pourrais être un bon acheteur si je me donnais la peine de faire ce qu'il faut – de faire quoi ?

Dans le cas des chaussures, je n'ai vraiment aucune autre chance de m'en sortir que d'escompter que mes pieds en viendront à bout, que mes cors trouveront à se loger. C'est qu'il y a trop de facteurs en jeu : la couleur, la forme, le cuir, les similis, la hauteur des talons, la mode sacrebleu, les lacets, le made-in-Canada, le prix, le demi-point, le tapis trompeur de la salle d'essayage, le va-et-vient du magasin, le confort. Et le vendeur donc... Avec le résultat que j'achète toujours trop petit.

J'avais déjà mal au moment de payer. Passé la porte Saint-Jean, je n'ai plus eu qu'une pensée : mes pieds. Je voyais venir avec terreur la traversée de l'autoroute Dufferin. Pourvu qu'ils aient rétabli les feux d'arrêt – à moins que le bris ne date de l'an dernier ?

En descendant la côte Saint-Augustin, l'évidence est aussi douloureuse que mes pieds : mes problèmes ne font que commencer. Je jurerais que j'ai des durillons à la place des orteils. Dans un arrangement comparable aux huîtres fumées dans leur boîte. Sans l'huile et avec les accents circonflexes. Et comme le quartier Saint-Jean-Baptiste a eu la très mauvaise idée de loger à même le versant de la haute-ville, le retour à la maison promet d'être mémorable. La randonnée pour fakir. Aussi bien m'épargner en alternant : un bout en pente, un bout sur le plat. Changer le mal de place : les talons, les orteils, les talons, les orteils.

À un coin de rue, trois petites filles dansent à la corde. La plus jeune saute sur la cadence que peu à peu les deux autres accentuent, tendant la corde toujours un peu plus. Elles scandent des formules qui s'enchaînent sans heurt, dans un ordre calculé, établi à dessein de souligner l'accroissement de difficulté. L'étroitesse de la rue, conjuguée à la hauteur des maisons de briques rouges, amplifie leurs voix :

Am stram gram pic et pic et colé

La danseuse, soumise à des mouvements de plus en plus secs, n'a pas pu tenir le rythme. Frappée à une cheville par la corde cinglante, elle est tombée, presque à mes pieds, un genou râpé par l'asphalte. Rien de grave.

Moi, mal à l'aise, importuné par le soleil que me renvoie une auto stationnée, à moins que ce ne soit par la comptine, je suggère à la petite fille de rentrer chez elle, de faire mettre du peroxyde sur sa blessure, que ça va chauffer un peu, mais qu'après il n'y paraîtra plus. Le baratin classique de celui qui ne connaît rien aux premiers soins pas plus qu'aux enfants, mais qui se sent obligé d'intervenir – un adulte, le civisme quoi. Elle qui chignait, elle se met carrément à hurler. J'ai dit blessure pour égratignure, peroxyde pour tu devrais mettre quelque chose, ça va chauffer pour ça va te faire du bien, j'ai pensé civisme pour..., mais pour quoi ? Quel enfant ai-je été pour être si maladroit avec eux, pour être ainsi importuné par une comptine innocente et un proverbe creux ? Non, je n'aime pas les enfants, mais puisque je le sais ça ne devrait avoir aucune importance.

Tout de suite la crainte que ses cris n'ameutent tout le quartier, que je ne sois forcé à des explications sans fin par les voisins, les parents. Ils aiment les enfants, eux. Le procès-verbal. Ce n'est rien, rien qu'un faux pas d'enfant, c'est un peu moi, si je n'avais pas parlé de bobo, il n'y en aurait pas eu, les enfants vous savez. C'est moi qui dis ça, moi qui ne sais pas, enfin je ne dis rien, je reste planté là avec l'enfant en larmes et ses deux compagnes muettes, veulement je prends le parti de continuer mon chemin. Après tout ce n'est pas la première fois qu'une enfant se grafigne un genou et, les premiers instants de stupeur et de concert lyrique passés, elle rentrera chez elle se faire soigner et recevoir les becs d'usage.

Cela ne me rassure pas pour autant. Le malaise dénude un souvenir d'enfance, la mienne. Je suis dans la rue en train de jouer avec d'autres enfants. Dans l'excitation du jeu, probablement, je bouscule sans trop m'en rendre compte un voisin particulièrement braillard. J'essaie de me disculper, lui jure que je n'ai pas *fait exiprès*. Mais lui, à la cantonnade : « M'as le dire à ma mére. » Comme il se dirige vers sa maison pour mettre sa menace à exécution, je m'enfuis dans la direction opposée. Je tarde à rentrer souper, si bien que je donne à mes parents deux raisons de me chicaner, mon retard et l'incident de l'aprèsmidi. Il l'a bel et bien dit à sa mère qui l'a dit à la mienne qui l'a dit à mon père.

Au coin de rue suivant, un trio de petites filles danse à la corde. Il a été un temps où les enfants étaient une espèce en voie de disparition dans Saint-Jean-Baptiste. Les nouveaux habitants du quartier, émigrants d'Indochine, ou plus prosaïquement du Saguenay, de la Beauce ou de la Mauricie, comme moi, se sont peu à peu fixés à demeure, ont eu des enfants. Je prends le parti de m'amuser de la survie de la comptine :

Am stram gram pic et pic et colé

De nouveau, la danseuse ne peut résister à l'accélération du mouvement et trébuche, s'égratigne un genou sur l'asphalte. Ses yeux croisent les miens et, sans que j'aie dit les mots fatidiques, elle se met à brailler. Ses larmes tracent un début de sillons noirs sur ses pommettes poussiéreuses. Je reconnais le cerne pour l'avoir observé il y a deux minutes. C'est pitié de la voir ainsi bouleversée par le léger affleurement de sang qui donne à sa jambe, au-dessus des bas blancs salis, la texture rugueuse des briques.

Je reste là tout aussi inutile que la première fois, essayant de convaincre les deux autres de conduire leur amie chez elle. Je cherche mes mots, sable, bobo, laver, et je ne réussis qu'à confirmer ma profonde ineptie dans ces situations. J'en oublie presque mes terribles chaussures.

Ennuyé par les pleurs et l'accablant reflet qu'une voiture me darde au visage, je reprends vite mon chemin. La hâte d'être chez moi, débarrassé des deux engins de torture, les volets fermés au monde de la rue, aux bruits, aux surfaces agressives des autos et aux remparts de briques rouges toujours semblables qui vous cernent.

À l'intersection, deux petites filles s'amusent à en faire sauter une troisième au-dessus d'une corde. Une voiture est stationnée, prête à m'aveugler. Je n'entends pas encore les mots de la comptine, mais j'en reconnais le rythme, la progression. Je voudrais courir, devancer la scène qui se prépare, j'en suis incapable : mes souliers. Si au moins j'avais l'impression de me rapprocher de chez moi, de cette maison de briques rouges entre toutes les maisons de briques rouges de la rue entre toutes les rues de briques rouges, donner un nom à l'endroit où je me trouve. Sur la maison d'angle, on voit la trace de la plaque rectangulaire qui a jadis indiqué le nom de la rue, mais qui est tombée sans qu'on l'ait remplacée.

Dans ce décor pareil en tous points aux précédents, je pourrais demander aux enfants où je me trouve. Mais déjà elles scandent distinctement

Am stram gram

et rien n'empêchera la dislocation de se produire :

pic et pic et colé.

Constrictor

Surtout, les vrais poètes tirent parti de la valeur expressive des voyelles et des consonnes pour obtenir une musique correspondant au sentiment qu'ils veulent exprimer. Ainsi « Pour qui sont ces serpents qui sifflent sur vos têtes » (Racine)

– Extrait de la *Grammaire Galichet*

Il n'avait même jamais vu de couleuvre. Mais cette émission sur les serpents l'avait envoûté. Comme un petit rongeur ou une grenouille, il avait éprouvé le magnétisme des terribles reptiles, lui devant son téléviseur à Schefferville, eux dans le pays arlésien, dans les méandres amazoniens, dans les bananeraies, dans la Vallée de la Mort.

Fréquemment son premier sommeil était troublé de cauchemars dont il ne percevait la trame qu'une fois les yeux ouverts : il se redressait brusquement et *voyait* sur lui, sur les couvertures, des serpents grouillants qu'il sentait l'envahir sans savoir comment les repousser. Tendre la main pour se protéger, c'était encourir la fatale morsure, donner libre accès jusqu'à son cou à ces lianes vivantes, rapides, cruelles.

La vie avec lui était devenue impossible. Il existait pourtant quelqu'un pour vivre avec lui dans la même maison, pour supporter depuis des mois, des années, sa folie pour les automobiles (Schefferville!), ses cris, ses crises, sa brutalité, ses injures, son haleine de fond de tonne, sa bedaine à l'avenant, quelqu'un condamné aux interminables récits sur les dangers qui guettent ceux qui s'aventurent dans la Vallée de la Mort – pauvre con, tu ne comprends donc pas que Schefferville va fermer, que la Vallée de la Mort c'est ici?

Et ses hallucinations de serpents au début de la nuit, de plus en plus fréquentes.

Depuis l'émission, ces apparitions portaient un nom, anaconda (géant), zamenis (*viridiflavus*), crotale, mamba, son sommeil était accablé par des prémonitions de torture, de paralysie (les neurotoxines!), d'asphyxie, de thorax broyé. À l'heure où le dormeur a l'impression de trébucher en descendant l'escalier, lui tombait dans une fosse humide infestée de cascavelles sifflant et agitant leur queue comme une crécelle. Le souroucoucou du Brésil (350 mg de venin par morsure) lui battait le cerveau de son nom effrayant, un naja cracheur se dressait au pied du lit, des enlacements de boas peuplaient le coin de la chambre de complots inéluctables. Quand il était condamné, dans une langue étrangère mais tonitruante, pour une faute dont il avait oublié la nature, à dénombrer les quatre cents vertèbres du grand python indien endormi, ses mains accomplissaient les gestes périlleux sur la surface inégale du vieux matelas, donnant à son cauchemar une effroyable vraisemblance tactile.

À Schefferville, au 55ᵉ parallèle maudit des dieux miniers, en plein cœur de l'hiver, il n'était plus permis le moindre désir de voyage dans le Sud, plus possible de prononcer les mots Jamaïque, Barbades ou bayou parce que lui les traduisait par péliade, sisture, mocassin, et les emportait dans son cauchemar.

Se confirmait chez la femme la nécessité, bientôt muée en désir, de le tuer, d'exterminer la vermine rampante. Sa résolution prise, il ne lui resterait qu'à choisir la nuit la plus ordinaire possible pour accomplir son dessein : il n'aurait pas trop bu (et émergerait dans cette zone de conscience où il se levait en sueur dans le lit, certain d'être la proie des serpents venimeux), se serait couché tendu (sa poitrine offerte aux constrictors).

Alors, elle sortirait une longue lanière de cuir, en vérifierait la sèche souplesse, la passerait sous le cou de la brute endormie, en joindrait les deux extrémités de façon à enserrer le cou et, bien lentement, bien doucement, commencerait le mouvement de torsion. Elle aurait pris soin de se placer de façon à empêcher le rêveur de se redresser sur son séant, prête à le terrasser de son poids, à lui écraser le thorax pour que *dans* le matelas trop mou il soit tout à fait impuissant. Et là elle raffermirait sa volonté en pensant à toutes ces fois où c'est elle qui était ainsi clouée pour assouvir l'homme puant la bière, son serpent fouisseur.

Sans doute avait-elle trouvé le juste moyen d'aller jusqu'au bout, car cette pensée fixa la scène toujours recommencée de leurs pesants et silencieux accouplements et lui fit accentuer la pression. Il s'éveilla. Du moins ses yeux s'étaient-ils ouverts. Elle reconnaissait pour l'avoir si souvent vu le moment où l'hallucination imprégnait intolérablement ses pupilles jusqu'à y dessiner la terreur ophidienne. Parfois, à moitié réveillée par ses propos incohérents, son délire envenimé, elle aussi y avait cru, avait un instant redouté que s'abatte sur le lit le nid de vipères qu'il voyait, là, au-dessus. Resserrant brusquement le nœud, elle lui dit – mais peut-être ne parlait-elle à personne – quelque chose d'ancien et immédiat, la leçon apprise, la répugnance engloutie du pensionnat, du premier exil, et la nuit donna à ses mots la tonalité des énigmes :

« Pour qui sont ces serpents qui sifflent sur vos têtes... »

À l'horreur qu'elle lut sur le visage, sous les paupières gonflées, au geste des mains qui d'abord hésitèrent à saisir le reptile pour tenter d'en rompre l'étreinte, au renoncement rapide qu'elle sentit, elle comprit que l'homme, son mari, avait capitulé sous l'inéluctable garrot, que jamais il n'avait deviné le meurtre, convaincu d'avoir été étouffé par un serpent.

Elle

À seize heures, avant la sortie du bureau, comme il le fait souvent, Gérard passe un coup de fil à la maison, veut s'assurer que Jeannine ne manque de rien pour le souper. Gérard est fréquemment donné en exemple par ses belles-sœurs pour cette louable contribution domestique – ce n'est pas Henri ou Daniel qui ferait ça. Cinq coups, six, sept, pas de réponse – d'habitude Jeannine décroche avant le troisième.

Gérard est incapable de se concentrer davantage sur le rapport Turmel. Il rappelle. Rien – il est bien payé de son obligeance !

Si Jeannine le trompait...

Il s'y refuse d'abord. Pas Jeannine. Pas après leur récent voyage en Caroline du Sud – c'est quand même autre chose que la Floride. Et puis, il ne l'a jamais trompée, lui ! Ce serait trop injuste, le rapport Turmel, l'air climatisé qui lui donne la migraine, son collègue Bodeau qui fume des Gitane, les embouteillages matin et soir – quel plaisir trouve-t-il à la vie ?

Il voudrait que le temps soit réversible, avoir téléphoné à Jeannine au retour du lunch, à quatorze heures, quinze heures, quinze heures trente. Il s'échauffe, imagine des scénarios congestionnés comme dans ces romans où Gérard est un nom de cocu, il l'appelle *elle,* il jette le pronom comme un ravin entre eux deux, elle sort tôt l'après-midi, elle a rendez-vous dans un café, elle trempe les lèvres dans un cappuccino – le reste fait mal à penser.

Le salaud ne travaille même pas. L'amour l'après-midi. C'est pour ces gens-là qu'on se crève à payer de l'impôt. Tout son temps pour roucouler – vulgaire en plus...

Toutes ces journées où il n'a pas téléphoné à la maison. Toutes ces fois où elle appelle au bureau pour un motif futile – Sébastien s'est tordu le pied, le lave-vaisselle est en panne, qu'est-ce que tu veux manger pour souper ? – et que lui, l'idiot, sans qu'elle ait eu l'air de lui demander quoi que ce soit, il lui annonce qu'il devra rentrer plus tard – un dossier à compléter. Elle en profitait. Elle courait se jeter dans ses bras. Toutes ces fois où il a fait l'amour à une planche – l'herbe est toujours plus verte... Toutes les fois où elle a pris trop de plaisir – elle pensait à l'autre !

Il entrera, accrochera son parapluie comme d'habitude, elle sera là à mitonner le souper comme si de rien n'était, elle aura encore les cheveux humides, *Singing in the Rain* sur les lèvres comme une insolence, il la regardera à peine, ne lui dira qu'une chose : je sais tout !

L'écriture automatique

Le premier soir de restaurant, il l'avait vue écrire son nom à lui, en automate, sur le napperon de papier, une fois, cinq fois, dix fois, elle avait fini par émerger, se rendre compte de ce qu'elle faisait, avait rougi, pour peu se serait excusée, encore troublée elle avait eu un geste de gomme à effacer, bien inutile puisque c'est au stylo-bille qu'elle avait rêvé. Lui aussi avait rougi, de plaisir, il était donc si profondément logé dans ses pensées, elle l'estimait, peut-être même qu'elle l'aimait, et lui à ce moment-là, mon dieu qu'il l'avait aimée. Plus tard elle avait eu des yeux d'abandon quand il lui avait parlé de ses projets, de ses espoirs, elle avait souffert au récit de ses blessures et quand elle avait dit *Julien, Julien,* mais si bas parce qu'ils étaient nus, son chuchotement avait glissé comme la main sur un manche de guitare, *Julien.*

Mais leur amour s'était étiolé. De longs silences s'étaient glissés entre eux alors même qu'ils se voyaient trop peu souvent. C'est pendant un de ces vides qu'au restaurant il l'avait vue écrire distraitement sur le napperon, les yeux ailleurs. Prétextant un coup de téléphone à donner, il s'était levé de manière à voir le papier où était jeté dix fois le même nom, *Martial*. Il avait alors su que commençait le temps où il la surveillerait jalousement, où ils se feraient des reproches avant de se décider à rompre.

Un chat, un chat ?

Je n'éprouve pas à l'égard des chats tout le respect dû à leur indifférence supérieure et à leur beauté qu'on dit mystérieuse. J'avoue prendre un certain plaisir à confondre les races, à prêter aux persans le strabisme des siamois devant leurs propriétaires admiratifs et, comme pour me racheter, à louer les vertus canines en les attribuant aux adorables petites boules de poils détachables : protection des enfants, sollicitude à aller chercher le journal, zoothérapie. Si la partie est trop forte, je fais le coup de l'allergie : asthme, éternuements, grattements. Et je sors un cigare comme pour changer l'air. Le feu par le feu. Ça ne rate jamais : on m'invite à passer à table, le cigare et le minou retournent chacun dans sa boîte. J'ai donc bon ventre et mauvaise réputation, ce qui me vaut une remarquable collection de chatons sur cartes postales, de ces *kittens* à rubans roses dont on emplit des paniers d'osier alors que la seule mention du nom est déjà un plaisir suffisant.

Je n'ai pas toujours la partie aussi belle et la satisfaction de l'odieux personnage : débarrassés de leurs maîtres, les chats deviennent invulnérables. J'ai beau jouer à l'épouvantail, grogner, imiter l'aboiement d'une espèce canine d'autant plus terrifiante qu'il est impossible de l'identifier, les minous ont fait de l'espace restreint qui me sert de galerie le lieu privilégié de leurs siestes, de leurs aubades et de leurs bagarres. Il en vient de partout, ils ont parfois un nom, rarement une race précise ces Coquine, Memére, Trois-Pattes, Toutite, Moteur, ces matous tigrés anonymes et sans foyer, ces bêtes de salon en vadrouille désespérément appelées à grands cris nasillards par leurs maîtres.

Je reconnais que dans leur demi-sommeil, leurs déplacements sur le bras de la galerie, leurs sauts calculés, on puisse leur trouver du charme. Ils rêvent, paraît-il, se souviennent des cultes que Pharaon leur rendait. Je n'y vois que de la ruse. S'il fallait que ce soit vrai, je voudrais bien être chat, passer le plus clair de mon temps à me pelotonner dans des songes exquis. J'envie leur indifférence et c'est le sentiment que j'aimerais éprouver à leur égard comme à l'égard de toutes choses mais voilà, ils hurlent à la lune quand je les souhaiterais distants, silencieux, immobiles et propres, balisent leur territoire (ma galerie!) à grands jets d'urine et renversent mes pots de ciboulette. Si je sors faire le pitre, toute la ménagerie fuit. Mais revient prendre position sitôt que je suis rentré. À ce jeu-là, je ne peux être gagnant. Et je leur concède suffisamment d'intelligence pour savoir qu'ils ont depuis long-temps saisi l'avantage du nombre, de la patience et de l'indolence.

Ce matin – il devait être six heures – c'est moi qui rêvais. Un paysage clair. Ma pensée s'y logeait comme dans un écrin malléable. Je ne saurais dire comment j'en étais arrivé là, mais je reconnaissais l'Amérique centrale. Je sais, l'Amérique centrale est vaste, elle doit avoir au moins mille visages et je ne lui en connais aucun. Pourtant, à cette heure qui m'échappe, mes muscles mêmes sont tissés de cette évidence : je suis en Amérique centrale et d'ailleurs je parle de politique. Cette logique pourrait porter l'univers et pourtant elle s'écroule dès que je la relate, l'éloigne de la serre où elle a germé. C'est pourquoi le monde s'écroule. C'est pourquoi je nourris tant d'amertume partout et toujours. La parole, la mienne, vient toujours trop tard. Pas dans le rêve. Je ne disais pas *je* en parlant et celui que j'étais n'avait nul besoin d'interlocuteur, le monde lui suffisait, il en faisait partie, lui, moi. Je suis jaloux, oui jaloux de celui que j'ai rêvé et qui était moi, tous mes possibles réconciliés en une voix unique, intelligente qui portait haut, qui sonnait juste. Je m'étais lancé à fond de train sur la visibilité de la répression, j'étais ému de voir monter en moi ces idées enfouies et tues, de les voir percer les barrières de mon ignorance et de mon incompréhension. Je suis jaloux, il aurait pu, j'aurais pu parler du dormeur que j'étais au même moment ; hors du rêve, je le trahis et tout ce que je peux en dire tient de la courte vue et de la mesquinerie nourrie par trente ans de rêves affreux passés à m'enfuir, à courir sur des trottoirs spongieux, à vouloir me cacher derrière des portes sans verrou.

Il n'y a ni porte ni verrou. Le paysage s'agite de partisans. On a cueilli une feuille rouge, énorme comme les Tropiques, on l'a hissée et accrochée à un mur de la Plaza Minor. L'étoile du Che. Tout s'accorde : les armes dont on vide la gendarmerie pour ne plus jamais les revoir ; la conviction intime et partagée par nous tous que les signes visibles de la répression peuvent désormais être détruits puisque leurs liens avec les pouvoirs occultes ont été débusqués, que toutes les violences qui se donnent pour des abstractions rationnelles légitimes ont été ramenées à l'apparence ; la disparition des blessures – je pense en riant à la multiplication des pains ; mon bonheur physique ; la jeunesse retrouvée sous des bérets, l'unité sous l'auspice du songe. Tout coïncide. Moi avec moi. Nos Amériques n'en font plus qu'une. Un instant plein, répandu dans tous les sens, dans tous mes sens.

Puis mon rêve s'empâte, il s'égare dans le bruit, je dis *je* comme une condamnation – la traîtrise, la courte vue, la mesquinerie, l'incompréhension, l'ignorance. Je ne vois plus les hymnes de... Le mot m'échappe, un cyclone, une trombe. Je suis éjecté du rêve. L'atterrissage forcé. Les oreilles qui silent. Le bruit de chats qui se battent sur la galerie. Qui se sifflent des menaces.

Du coup je suis prêt à toutes les violences, une rage de pigeon d'argile contre la D.C.A. qui l'a abattu. Oui, tout s'écroule. Je sens le vide me peser sous les côtes, mes tendons se tendre. Je me lève avant la crampe. Je ne suis plus multiple et uni, je suis seul, nu, sur le point d'éclater. Je suis un rebut projeté hors du rêve lucide. Ils vont me le payer. Quelque chose quelque part a triché, moi, les autres, le monde dans lequel les muscles sont raides, les chats. Je ne suis plus intelligent, de nouveau je ne comprendrai rien à rien, j'ai regagné la peau de l'amertume, partout, toujours. Il y avait une autre histoire, la mienne, la liberté, il n'y avait plus que le présent, la fusion, je suis de nouveau piégé, il n'y a pas de feuille rouge mais des savates qui traînent dans la chambre. Je suis maintenant une flèche : déjà dans la cuisine. Sur le comptoir, des assiettes grasses. Je ne m'épargnerai rien. Je devine le cerne noir dans la tasse de café sucré que j'ai la mauvaise habitude de boire le soir. Ils vont me le payer, la mort du rêve, les savates, l'hyperglycémie, le cerne comme un œil au beurre noir. Ils vont y goûter.

J'imagine déjà le *petit mammifère familier à poil doux, aux yeux oblongs et brillants, à oreilles triangulaires* recevoir plein le museau la surprise que je lui destine. *Chat échaudé craint l'eau froide* ? Sans bruit, pour ne pas perdre l'avantage stratégique, j'emplis la tasse. Difficile de croire qu'ils ne sont que deux à faire tout ce boucan. Je n'aurai qu'à viser dans le tas.

J'ouvre la porte précipitamment et lance l'eau à bout de bras.

Tout se passe en une seconde : la galerie n'est plus ma galerie mais, l'eau vole comme une méduse blanche, le soldat la reçoit en pleine gueule, ses traits de Latino, sa cartouchière toute mouillée, la baïonnette qui capte le soleil, les sifflements de menace coupés net, l'essoufflement de son prisonnier, il y a bien un soldat, moi pensant *guerillero,* je suis donc là, les bras ballants, la lippe idiote, une tasse vide, la goutte d'eau qui en tombe, le froid qui me saisit, le bruit d'un matou tigré en habit de brousse au deuxième palier, le soldat se retourne, son prisonnier le bouscule pour fuir, l'arme dégringole du troisième, je rentre dans la maison en refermant précipitamment la porte.

L'impossibilité dans laquelle je suis de la verrouiller. La porte n'est plus ma porte mais. Quelque chose quelque part a triché. Le mécanisme que je ne comprends pas, mes mains qui ne répondent plus. Comme dans ces autres rêves, affreux. Moi, n'osant pas regarder dehors, prêt à m'écrouler.

LES LIGNES DE LEURS MAINS

Les petits mardis

René avait tellement insisté que j'avais finalement accepté de me rendre à la conférence. Pourquoi est-ce que je l'appelle *René*? On se connaît à peine. Deux ou trois rencontres par personnes interposées. Nicole, bien sûr, qui connaît tout le monde et qui voudrait que les amis des amis etc. Mais lui, je ne lui ai jamais donné du prénom, une réticence que j'ai à l'endroit des étrangers, me livrant même à toutes les contorsions verbales pour échapper à la nécessité du tu et du vous, mais me laissant en même temps gagner par ce qui émane naturellement de sympathie chez lui, j'allais dire de *sympathie d'organisateur,* ce talent appréciable en société qui consiste à distribuer poignées de main rituelles, mots flatteurs et professions de foi. Mais ce serait injuste d'en rester à cette impression, ce serait confondre la fonction et la nature de René Saint-Pierre, et même si cela était, Saint-Pierre est celui à qui je me raccrocherais maintenant dans une soirée où je ne connais personne, car j'ai succombé à son charme dont pourtant je continue à me méfier puisque j'en vois les effets sur moi, son charme invincible qui m'a entraîné dans cette salle de conférence et qui force tous ceux qu'il croise à noircir leurs carnets d'adresses de pigistes de ci, de directeurs de ça, les amis des amis quoi.

C'est qu'il avait été adroit, me disant *Gilles* sans affectation, juste ce qu'il faut, me parlant de mes travaux sur Gustave Moreau, moi qui n'ai plus rien écrit, rien lu depuis trois ans, m'étant pourtant juré de toujours rester au fait, de suivre l'évolution des études sur son œuvre – je disais alors *discours* – moins pour la comprendre que pour me rattacher au mouvement pendulaire de l'oubli et de la redécouverte d'un artiste. Je ne suis plus sûr de rien, j'identifie encore les Moreau dont on abuse sur les pochettes de disques, mais je ne suis plus gêné par cette appropriation sans discernement, tout cela me semble déjà loin, comme Maupassant ou Carl Orff. Du diable si je m'attendais à me faire parler de Gustave Moreau alors que ce soir-là il était plutôt question de science-fiction, du temps qu'il faudra mettre avant que le genre ne soit admis par le *milieu* et je me rappelle avoir ri quand quelqu'un avait suggéré qu'on ne désigne plus la critique autrement que comme la *Main noire* avant de s'emporter contre les copinages et les compromissions. René Saint-Pierre était là, lui aussi connaît tout le monde, il ne disait rien ou plutôt il se contentait de relancer, juste ce qu'il faut pour que l'autre se persuade de son bon droit

alors que tout dans ce cocktail était l'œuvre de la
Main noire, présentations des uns aux autres, cin
cin, faconde, pronostics, saloperies murmurées
d'un air entendu, rumeurs, baisers vineux. Saint-
Pierre, sans transition autre que de remplir nos
verres, m'avait vanté les rehauts à l'encre dans
les huiles de Moreau – ah, la *Salomé tatouée*!
– qu'en aucun moment il n'avait confondu avec
Gustave Doré – j'avais rarement eu droit à autant
d'attention du temps de mes recherches –, m'avait
rappelé mine de rien une phrase bien sentie lue
dans un magazine, déjà il n'était plus question
de Gustave Moreau, mais d'un commentaire que
j'ai fait paraître, d'une hypothèse éclairante que
j'aurais lancée. Je n'étais pas dupe, je reconnaissais son talent comme si j'avais été en train de le
disséquer et sans doute était-ce ce que je faisais,
car je ne parvenais plus à me rappeler l'article
en question, et tout de suite la peur que ce trou
de mémoire passe pour coquetterie, mais non,
je suis comme ça, poussé d'un boulot à l'autre,
j'oublie et d'ailleurs ça m'angoisse toutes ces
phrases conçues pour donner des aspérités à mes
articles, ces éléments de choc que j'oublie, que
je n'oublie pas vraiment, car elles réapparaissent
dans le même magazine deux mois plus tard dans
un contexte totalement différent. Merde, est-ce
que je n'ai qu'une seule phrase pour parler de la
terre et de l'enfer, du beau, du mauvais temps, de
la peinture et du sorbet au citron?

Une fois sur place, aussi bien porter attention à la conférence – je déteste éprouver le sentiment de perdre mon temps et encore davantage me dire que je devrais être ailleurs. Saint-Pierre a présenté Rémi Belleau et le sujet de son exposé : les relations entre peintres et écrivains à la Renaissance. C'est donc cela qu'il faudrait trouver intéressant, c'est pour cela que je devrais me composer un visage approbateur quand à la fin Saint-Pierre viendrait vers moi avec quelque membre de cette société bigote, l'air de ne surtout pas me demander mon avis – je le devine trop habile pour quémander et suffisamment perspicace pour avoir senti que j'ai horreur de ça. Je n'ai jamais pu me défaire d'une certaine forme d'antagonisme pour toutes les émanations de la bêlle cûltûre. Nicole me taquine à ce sujet, me dit que c'est une réaction de classe, une récupération intellectuelle de mes origines modestes, ce n'est pas si simple, elle a raison, je sais, je cherche à prouver quelque chose, mais voilà je travaille précisément dans le milieu culturel, c'est un boulot comme un autre pour moi, non ce n'est pas un boulot comme un autre, je ne pourrais vendre des polices d'assurance ou interviewer des joueurs de hockey, ça ne veut pas dire que je me plais en compagnie des gens pour qui l'art est un refuge contre les roturiers, mieux un abri fiscal, pour qui la *belle musique* adoucit les mœurs.

Pendant que je pensais à Nicole et que je lui en voulais un peu de s'amuser de mes hantises et surtout de n'être pas venue à la conférence, de m'avoir abandonné à cette association dont j'avais oublié le nom et les louables objectifs et que je soupçonnais dans mon inconfort de se livrer secrètement à des campagnes de bon parler, René Saint-Pierre vantait le conférencier mais d'une manière qui ne le mette pas mal à l'aise. Bien sûr il n'a pu s'empêcher de parler de sujet prédestiné pour le cas où l'homonymie de son invité et du poète Rémi Belleau n'aurait pas sauté aux yeux de tout le monde. Comme il se doit, un sourire approbateur a flotté dans la salle désormais gagnée aux mérites des Belleau, l'ancien et le nôtre, en ces années où les subventions ne sont plus versées qu'aux projets à caractère national – je ne m'en étais jamais rendu compte du temps de l'université –, et en disant cela il m'avait gratifié d'une œillade que sans doute j'ai été le seul à percevoir. Ça m'a gêné, mais déjà il continuait, il était urgent à une certaine époque de nous approprier notre culture, d'écrire l'Histoire qui nous faisait défaut, mais une cure parfois crée des carences nouvelles et nos universités ne formaient plus de chercheurs en littérature française, par exemple, si bien qu'il appartenait désormais aux anglophones d'écrire des thèses sur Proust, Ronsard ou... Rémi Belleau.

Sans doute me serais-je laissé séduire par le propos, moi qui n'ai jamais bien compris que l'on puisse s'astreindre à la littérature québécoise ancienne, à ses hagiographies de peuple

élu et à ses vitupérations de chanoines frileux.
Et puis la recherche à mes yeux est une prati-
que vampirique, du moins la recherche longue,
celle qu'on construit comme une preuve judi-
ciable, elle immobilise son sujet comme si de
cet arrêt elle puisait l'énergie pour elle-même
avancer et je ne concevais pas qu'il soit possible de lire Marie-Claire Blais avec ces yeux-là,
Marie-Claire Blais trop vivante, inachevée, de
laisser l'épreuve d'une thèse reléguer la douleur
des personnages. Mais l'indignation, comme un
encens amer, s'était emparée de la salle, je sentais monter aux lèvres des phrases apprises qui
condamnent sans rémission possible notre littérature parce qu'elle a parfois le courage de la mi-
sère, et encore trop peu, qui n'admettent le mot
québécois que pour désigner la médiocrité cultu-
relle, je me sentais couler au fond de ce puits trop
connu, de ce mauvais vin où je prends inlassablement parti contre moi-même, où je dresse les uns
contre les autres des arguments d'où jamais ne
jaillit la lumière.

J'ai eu peur un moment que Belleau ne suf-
foque comme je suffoquais. Mais non, hypnotisé
par son sujet, par le péril à venir, il n'avait visiblement rien entendu du laïus de Saint-Pierre,
rien perçu du frémissement de l'assemblée,
échafaudant des équations entre les mots et les
couleurs quelque part en Italie ou en Touraine,
à mille lieues des positions féroces auxquelles
nous nous croyons forcés de souscrire, comme

des bateleurs d'élections, dès qu'il s'agit de parler de notre culture.

Saint-Pierre s'était retiré, Belleau demandait humblement à l'auditoire la permission de lire le texte de sa conférence, ce en quoi il est devenu évident, au fil des hypothèses et des exemples, qu'il avait misé juste, coupant aux scories de l'improvisation savante. J'étais prêt à remercier Saint-Pierre de sa persévérance – je n'osais plus penser *insistance,* m'avouant que je la lui avais prêtée à tort, car j'en soupçonne sitôt qu'on me suggère quelque chose ou qu'on m'invite ne serait-ce qu'à dîner. Je lui devais cette heure d'intelligence en compagnie de Belleau qui m'avait même réconcilié avec l'assemblée. Je pourrais me vanter de l'exploit la prochaine fois que Nicole me traiterait de suspicieux casanier en laissant traîner les syllabes pour me faire rire.

Mais cette heure s'achevait-elle qu'il m'a semblé que Belleau s'épuisait, que le rythme se brisait, que les phrases se détraquaient, que les accents se posaient de plus en plus aux mauvais endroits, oh, de manière presque imperceptible mais. J'aurais appelé à l'aide cet auditoire que j'avais d'avance exécré. Mes hantises sur la recherche me reprenaient, elles qui m'avaient laissé brisé à la fin de ma thèse, me faisant jurer de ne plus jamais m'engager dans le rance contrat de fidélité que j'avais un jour signé avec Gustave Moreau, pauvre Gustave Moreau qui n'y était pour rien. Je souffrais pour Belleau qui semblait ne s'être pas aperçu du vertige des phrases, oh non !, qui s'en apercevait, je le voyais à l'éclat de ses yeux, au tremblement de ses mains, je souffrais de mes piétinements de thésard comme de sa dyslexie grandissante et eux, béats, n'entendaient rien, ne voyaient rien ! J'ai alors eu l'impression d'avoir été attiré dans un guet-apens, mais je ne pouvais pas me retirer, me lever, écraser des pieds, faire ondoyer par mon reflux la rangée de binocleux, je m'engouffrais dans cet état asthénique comme si j'avais moi-même été sur l'estrade, si j'avais moi-même travaillé sur Léonard ou le Bernin, je ne pouvais abandonner Belleau.

Par bonheur, c'était bientôt fini. Applaudissements. Questions. Une. Deux. À la troisième, sans même que l'auditeur ait eu le temps de formuler en entier ce qui était indistinctement commentaire et interrogation, Belleau a craqué. Marre, marre, marre. Cinq ans sur cette question. Plus rien à foutre de Ronsard et de Michel-Ange, rien. Plus rien savoir de vous tous. Et moi, assis dans l'arène, piteusement, approuvant sa crise soudaine, maudissant les cinq ans à s'entendre parler de son sujet onomastiquement prédestiné, à supporter l'humour corporatiste des littéraires, leurs calembours et contrepèteries, nos citations faciles, *Mignonne allons voir,* des tas de René Saint-Pierre, toujours un bon mot sur vous, au restaurant, ah tiens, Rabelais aurait raffolé de ces pintades, un joyeux luron, vous saviez qu'il était de Chinon ? Plus rien à foutre de Chinon, Jeanne d'Arc et Charles VII.

Et moi qui suis incapable du meilleur et du pire... Déjà au cégep j'ai renoncé à l'esclandre, au personnage facile du délinquant prolixe, du néo-surréaliste de party, je me suis progressivement empêtré dans ce que j'appelle la dialectique pour me donner bonne conscience et n'avoir pas trop peur quand je suis seul avec mon cerveau, ne pas m'approcher trop au bord de l'irrémédiable, ne pas céder à mes pulsions de désastre. Je souffrais de son désarroi, de ne pouvoir moi-même poser un geste fort, mais je savais aussi que ça valait mieux ainsi, pour lui, pour moi, dans ce que nos chemins avaient de commun et d'étranger. Je lui en voulais bien un peu de ne pas se donner des airs de casse-bourgeois, comme dans les films, tout le monde se serait accroché à cette certitude, mais ce n'était pas du cinéma, je ne pouvais lui en vouloir de ne pas dissimuler que ça venait de plus loin – quelque chose de soi qui déserte.

Il s'était sauvé, sans bravade. La rumeur contenue pouvait enfin monter – *il est fou ?* J'essayais de fuir, d'échapper aux prévisibles diagnostics, mais dans les coulisses où je me suis égaré, Belleau était là, et Saint-Pierre, il s'était calmé, mais voilà que ça le reprenait, *marre de ce cirque, de ces coquerelles du mardi soir, de ces dévots de la peinture, hostie, je ne veux plus rien savoir de votre amicale de vieux débris, de vos gargarismes d'art, j'emmerde Bernini, vous m'entendez ? je crisse tout ça là, je vous emmerde tous,* les cris dans les deux langues, celle de la rue et celle du cinéma.

Il n'était déjà plus là, Saint-Pierre si. Une main sur l'épaule. Nous menons des existences éprouvantes... un peu de stress... la maladie du siècle... des moments où ça déborde... Gilles, nous avons un mardi libre en mars, si tu venais nous parler de Moreau, disons le 14 ?

Projet pour une conférence
d'Alain Robbe-Grillet à Québec

L a première scène se déroule très vite. On sent qu'elle a déjà été répétée plusieurs fois : chacun connaît son rôle par cœur. *Lui connaît par cœur la première phrase de* Louis Lambert *puisque* Louis Lambert naquit, en 1797, à Montoire, petite ville du Vendômois, où son père exploitait une tannerie de médiocre importance et comptait faire de lui son successeur.

La première scène se déroule très vite. Lui connaît par cœur la première phrase de sa conférence, puisque c'est une causerie sans façon, *aussi sûrement que Louis Lambert* naquit *à Montoire,* qui du reste a une histoire plus récente, *au-delà du passé simple qui n'était déjà plus utilisé* dans la langue populaire *du vivant de Balzac* (la Seconde Guerre mondiale). On sent qu'elle a déjà été répétée plusieurs fois. *Hier à Ottawa.* Lors d'un cours que je donnais l'année dernière à UCLA. *Je connais mon rôle par cœur, je suis déjà venu hier, avant-hier et d'autres jours avant. Alain Robbe-Grillet ce soir à la bibliothèque St. Matthew's, quatre novembre*

1981. Le Nouveau roman, le Nouveau cinéma. Moins certain peut-être que 1797, Montoire, Louis Lambert.

J'ai soixante ans. *Moi je m'assois à terre, j'ai eu dix-huit ans. Toi là-bas tu es assise sur un fauteuil rouge,* sombre, aux ombres presque noires. *Ton profil a trente ans. Ton profil gauche. Lui n'a pas soixante ans comme mon père a soixante ans. Il connaît son rôle. Tu l'écouteras. J'écouterai du fond de la bibliothèque. Tu verras, c'est facile, la première scène se déroule très vite.* Les mots, les gestes se succèdent à présent d'une manière souple, continue, s'enchaînent sans à-coup, les uns aux autres, comme les éléments nécessaires d'une machinerie bien huilée. *Chacun connaît son rôle. Il aurait fallu lire* Pour un nouveau roman *hier ou un autre soir. Lui c'est la première phrase de* Louis Lambert. *Toi tu l'écoutes, tu la connais déjà. Tu l'as toujours sue. Tu n'étais pas là hier pourtant. Tu savais peut-être qu'il irait jusqu'à dire que* la première phrase d'un roman est très importante. *Aussi les ailes de ton nez immobiles. Si j'en crois ton profil gauche. Moi c'est différent, j'oublie tout. Tiens, suis-je vraiment venu hier ?* L'œuvre, c'est le film, tel qu'on peut le voir et l'entendre dans un cinéma. *Je crois tout. Je suis prêt à croire au cinéma, à croire que* Robert Pinget sera un jour reconnu comme un écrivain très important. Son dernier livre se vend bien. *Moi je gobe tout.* Le réel est troué, coupé, fracturé. Le réalisme est idéologique. Une surface du réel. *J'admets qu'Alain Robbe-Grillet est réel, qu'il est debout dans la chaire de l'ancienne église St. Matthew's.*

Est-ce que les gens au fond de la salle m'entendent bien, même quand je m'éloigne du micro ? *Je me suis assis à terre au fond de la bibliothèque, de côté, non pas face à la chaire.*

Je ne dis pas *ma grand-mère* naquit *à Brest.*

On a dit de moi que j'étais le chef d'une école. Même que j'en étais le pape. C'est peut-être la raison pour laquelle je vous parle du haut d'une chaire. *Toi tu as souri.* Je ne suis pas un théoricien du roman. J'ai seulement, comme tous les romanciers sans doute, aussi bien du passé que du présent, été amené à faire quelques réflexions critiques sur les livres que j'avais écrits, sur ceux que je lisais, sur ceux encore que je projetais d'écrire. La plupart du temps, ces réflexions étaient inspirées par certaines réactions – qui me paraissent étonnantes ou déraisonnables – suscitées dans la presse par mes propres livres.

Puis il y a eu un blanc,

un espace vide, un temps mort de longueur indéterminée pendant lequel il ne se passe rien, pas même l'attente de ce qui viendrait ensuite.

Et brusquement l'action reprend, sans prévenir, et c'est de nouveau la même scène qui se déroule une fois de plus... Mais quelle scène ? Je suis en train de refermer la porte derrière moi, lourde porte de bois plein *de l'ancienne église St. Matthew's de la rue Saint-Jean. Toi je vois tout de suite ton profil. Sitôt la porte refermée.* La chair des femmes a toujours occupé, sans doute, une grande place dans mes rêves. *Toi dans mes rêves ? L'attente de ce qui viendrait ensuite.*

Dehors, des branches noires dénudées. La lourde porte de bois plein et tout de suite ton profil. Je ne t'ai jamais vue avant ce soir. Pourtant cette scène a déjà été répétée plusieurs fois. Il y manquait toi, un certain profil gauche.

La critique s'en est pris à moi. Refus massif et violent. Je trouvais flatteuse cette attitude de la critique académique.

Nous étions à l'étude, quand le Proviseur entra, *il a hésité,* suivi d'un *nouveau* habillé en bourgeois et d'un garçon de classe qui portait un grand pupitre. *Déjà mieux.* Flaubert. *Déplacement de fauteuils rouges.* Nouvelle conscience du temps. *Les mots, les gestes se succèdent à présent d'une manière souple, continue.* Dostoïevski, Kafka, Joyce, Faulkner, Borges, Céline, peut-être Sartre, Camus. *Robbe-Grillet.* Robbe-Grillet. *Des réactions étonnantes ou déraisonnables de la critique.* L'étudiant prit un peu de recul et leva la tête vers les branches les plus petites. *Les plantes derrière toi. Un étudiant lève la tête derrière toi. De petites branches derrière un étudiant derrière toi. Nouvelle vue de la bibliothèque, prise du fond de la bibliothèque, des branches, un étudiant, toi, choisis tour à tour.* Une fois de plus, c'est au bord de la mer, à la tombée du jour, une étendue de sable fin coupée de rochers et de trous, qu'il faut traverser, avec de l'eau parfois jusqu'à la taille.

L'attente de ce qui viendrait ensuite puisque j'espère tout. Le réel que je voudrais étendu de sable, coupé, troué de rochers, traversé d'eau parfois jusqu'à la taille.

Ça a commencé comme ça. Moi j'avais jamais rien dit. Rien. *Je pourrais t'appeler Céline. Ça ça, rien rien. Et puis ça n'aurait pas d'importance, j'oublie tout, ça comme le reste. Céline au profil gauche immobile qui me cache son profil droit. La face cachée.*

Ça a commencé comme ça. J'étais allé à l'église St. Matthew's, j'avais refermé la porte de bois plein, j'avais été saisi par le profil de quelqu'un qui s'appellerait Céline. Mais voilà, il y a eu un blanc, *il a hésité, j'ai été distrait,* une grande place dans mes rêves, *j'ai regardé ailleurs, en dedans peut-être, puis lui, nous étions une centaine, lui à l'autre coin dans le fond de la bibliothèque, m'a regardé, en dedans peut-être, j'ai eu peur, j'ai reflué vers toi.* C'était comme si personne n'avait entendu. *Toi immobile, absorbée, incrédule.*

On nous demande souvent comment nous avons travaillé, Alain Resnais et moi-même, pour la conception, l'écriture et la réalisation de ce film. *J'ai risqué un autre regard vers l'homme du fond. Même regard. Qui fouille.* C'est d'abord une tache rouge. *Pourquoi me fouiller ? Pourquoi moi ?* La critique s'en est prise à moi. *Des yeux froids. Il connaît son rôle par cœur. Il ne saurait supporter la moindre faille. Moi c'est différent, j'oublie tout. Sans doute la première scène s'est-elle déroulée très vite, il était déjà venu hier, avant-hier. Il s'était assis à terre, m'a vu refermer la porte derrière moi. À lui aussi le souvenir de la lourde porte de bois plein.* Dehors il fait froid, *novembre,* le vent souffle entre les branches noires dénudées, le vent souffle dans les feuilles. Même regard qui fait froid.

La scène, un long moment, demeure ina-nimée et silencieuse. Puis on entend de nouveau les mots : «   ?», prononcés par la voix grave et profonde, un peu chantante, qui semble cacher on ne sait quelle menace. *Il a le regard fixé sur quelque chose, son regard qui me fait froid en dedans. La chair des femmes a toujours occupé, sans doute, une grande place dans ses rêves.*

C'est d'abord une tache rouge, d'un rouge vif, brillant mais sombre, aux ombres presque noires. *Derrière moi cette autre femme comme une tache rouge. C'est peut-être elle qu'il dévisage comme moi j'ai dévisagé un visage de son profil gauche de trente ans. Elle aussi rivée à Robbe-Grillet ou à quelque chose,* quelqu'un ?, *entre Robbe-Grillet et elle.* Une série de regards immobiles et parallèles, des regards tendus, presque anxieux, *pas vraiment parallèles, son regard caporal, mon regard mobile, tendu, anxieux, apeuré, une tache rouge, trente ans, soixante ans, hier, avant-hier ?*

Le sentiment soudain que ce regard noir dénudé interdit de parler de désordre.

Si j'emploie volontiers, dans bien des pages, le terme de *Nouveau roman,* ce n'est pas pour désigner une école, ni même un groupe défini et constitué d'écrivains qui travailleraient dans le même sens ; il n'y a là qu'une appellation commode englobant tous ceux qui cherchent de nouvelles formes romanesques, capables d'exprimer (ou de créer) de nouvelles relations entre l'homme et le monde, tous ceux qui sont décidés à inventer le roman. *Hier, aucun Robbe-Grillet au fichier.* Roland Barthes retors, rusé. *L'attente de ce qui pourrait arriver. Projet pour une conférence : la conception, l'écriture, la réalisation. Ce soir, Balzac, Flaubert et Céline. J'aurais aimé qu'il nous parle de fiction. Il nous parle de lui et je voudrais qu'il me parle de toi. Le seul à te voir bien en face. De toi, de fiction.*

Écrire un roman, c'est s'aventurer dans un texte qu'on ne connaît pas encore et dont on ne connaît pas le sens. *Comment ne pas y croire ?* Il faut apprendre la normalité mais il faut apprendre que la normalité doit être violée. Au cinéma, l'image c'est le présent. *Une machinerie bien huilée.* Le but du peintre n'est jamais de faire ressembler à une photographie. *Clichés. Son rôle par cœur.*

Jean-Pierre Léaud est sans cesse en train de se désigner lui-même comme acteur. Visconti avait juré fidélité totale à *L'étranger,* mais il n'a pas pensé au passé composé. Les comédiens savent qu'il ne faut pas regarder l'objectif. C'est le spectateur qui est la caméra quand le film est projeté. *Celui qui me regarde n'est pas comédien. Ou ce n'est pas* mon *film.* On va le faire, ou bien ce sera génial ou bien il n'y aura rien sur la pellicule. *Tout entendu ça.* Parasite *pensé quelque part dans la salle, hors pellicule.*

Je vous parle de désordre dans une chaire. *Ce qui se fait et se défait.* Mes romans n'ont pas toujours été accueillis, lors de leur parution, avec une chaleur unanime ; c'est le moins que l'on puisse dire. Bien sûr, il y a eu aussi quelques louanges, çà et là, mais qui parfois me déroutaient encore davantage.

Et ce regard. Ma déroute. Derrière moi, sans doute, une bouche rouge, d'un rouge vif, brillant mais sombre, a toujours occupé une grande place dans ses rêves, sans prévenir, avec de l'eau parfois. Son regard sombre, la tombée de la nuit, aux ombres presque noires, avide de tout plonger dans ses ombres. Rien ne correspond à une caméra dans un roman *(l'argent du producteur pas davantage). Moi entre la chair rouge de la bouche et son rêve. Lui la peur dans mes rêves, dans l'attente de ce qui viendrait ensuite puisque j'oublie tout* toi *je crains tout* lui. Hier à Ottawa, on m'a demandé comment il se faisait que je parlais si raisonnablement et que j'écrivais si mal.

La scène, un long moment, demeure inanimée et silencieuse. *Puis on entend de nouveau les mots* je vous remercie de votre attention *prononcés par la voix grave et profonde. Un espace vide, un temps mort de longueur indéterminée pendant lequel il s'est passé quoi ? Alain Robbe-Grillet n'a pas donné un roman. Applaudissements.*

On se lève, félicite, remercie. Ses pas aussi raides que son regard. Plus loin Robbe-Grillet qui s'avance, une planète. Toi qui t'emmitoufles quatre novembre *t'apprêtes à quitter* vingt-deux heures *l'église hors de laquelle tout redevient impossible. Le profil droit ? Robbe-Grillet à quelques mètres maintenant, ses quelques rides trahies par la proximité. L'autre plein cap sur moi, haineux, qui s'interpose entre ton profil droit à jamais inconnu et moi.* Poussez-vous, j'étais là avant vous. *Une scène apprise. Son geste caporal entre Robbe-Grillet et tous.* Pardon, monsieur Sarraute, pourriez-vous me dédicacer votre dernier livre ?

Les galeries K

Sans prévenir, le métro. Les quais encore vides
il y a cinq minutes maintenant habités d'yeux
torves, de sourcils farouches, de rides au front, de
pattes-d'oie abêties de sommeil. Sous le panneau-
réclame d'une multinationale de l'optique (*Visez
juste!*), un journal oublié sur un banc, hier?, plié
sur une annonce de recrutement. Ils sont heureux,
ils courent dans les marguerites, ils aident les
vieillards en détresse à traverser les champs de
mines, ils font de la sculpture: monument de la
Victoire. À côté, sur une colonne: «Kafkaïen ou
kafkaesque? (d'après APA et PP) – Au terme
d'une session extraordinaire, le Sénat a délégué
pleins pouvoirs à une commission royale d'en-
quête chargée de statuer sur l'emploi de l'un ou
l'autre adjectif et d'ainsi mettre fin aux regret-
tables controverses qui ont récemment agité le
pays. Une fois le rapport déposé à la Chambre,
on prévoit que le mot correct sera rapidement
légalisé et seul autorisé dans les publications
et conversations. Une nouvelle commission
sera désignée afin d'établir la signification du
mot retenu. Les contrevenants seront soumis

rétroactivement aux sanctions prescrites par la loi 13579 pour la Protection du juste parler. »

Le journal sous le bras, Karel Löwy monte dans la voiture bleue. Personne ne semble l'avoir remarqué. On se bouscule bien un peu, sans protester. On regarde son sac brun, les taches grasses des *párky*, du jambon de Prague et du pâté *tlacenka*. Bien sûr, des soupçons d'ail, d'aneth (salade de pommes de terre), des regards chargés de reproche. Si tôt le matin! Mais les purificateurs d'air du métro se chargent de tout faire disparaître, y compris l'image de Löwy dans l'esprit des gens.

Musique d'ambiance. Peut-être des messages subliminaux de La Providence, assurances sur la vie. Ça n'a jamais été prouvé.

Puis ce n'est plus Montréal. La couleur de l'ombre a changé, et la rêverie. Ce n'est plus Karlovy Vary, mais Karlsbad. Au cours de français, il ouvre *Le petit Robert 2,* deuxième édition revue, corrigée et mise à jour, 1975, à la page 983 : «le congrès de Karlsbad (août 1819) prit des mesures répressives : création d'une commission fédérale chargée d'enquêter sur les agissements subversifs, censure de la presse, surveillance des universités, etc.» Les petites gens comme lui redoutent les *etc.* L'institutrice s'alarme de sa fixité soudaine, lui demande si tout va bien. Oui, oui. Comptez-vous lire tout le dictionnaire? Non, non. (Il n'a pas appris à faire la part des rires, amicaux ou moqueurs.) Tout dépend des cas. Interdite, l'institutrice s'éloigne: tout dépend des K? Lui ne comprend pas pourquoi on interdit les institutrices.

Les gestes, le poids du passager endormi contre lui, des crissements. La panne dans le métro de Boston. Entre Prudential et Copley, là où la voie bifurque. La première impression : la vermine patiente, les rigoles entre les rails, la poussière grasse des mines du Kentucky, de Kladno (non, de Katowice), d'autres souvenirs du travail (la détresse des visages prématurément vieillis qui descendent dans les puits sous surveillance armée).

La secousse a réveillé l'homme. Il s'agite, il fait noir, il hurle, il va être en retard. Il fracasse la vitre. Il ira à pied. Vous venez ? Karoly Löwy fait celui qui n'a pas entendu, regarde ailleurs – au besoin, si l'autre insiste, son accent incompréhensible pour peu qu'il s'y mette. Puis l'évidence contraire : surtout pas ça ! L'homme n'insiste pas, il s'enfonce dans les boyaux, dans la nuit des animaux fouisseurs.

La lumière est revenue. Un ascenseur ralentit sa longue chute (le bourdonnement dans les oreilles, la presque-nausée – y a-t-il des freins) ? Il pense aux saucissons, à la nausée qu'ils déclenchent habituellement en *eux*. Il froisse le sac de papier kraft. Maladresse : le geste ajoute le bruit à l'odeur. La porte s'ouvre enfin. Ils n'ont rien remarqué, rien senti. Le peuple des percepteurs se répand. Deux agents d'immigration encadrent une recrue. L'examen d'admission consiste à déchiffrer les graffiti sur les rames du subway de New York juste au moment où elles entrent en gare et d'en donner une interprétation judicieuse susceptible de conduire à l'identification des auteurs. On fournit au candidat des formules liminaires pré-établies : *Tout un siècle est donné à lire...* ; *dans ces textes, tout semble concourir...* ; *au préalable il faut poser...* ; *si l'on en croit les avis...* Compléter. Appuyer le crayon de manière à ce que la réponse soit lisible sur les copies carbones.

Dans ces textes, tout semble concourir à la représentation de la paranoïa. *Littéralement « penser à côté ».* Hors des carbones. Sous couvert d'absurde. L'effet de dislocation. Les mauvais lieux, aux mauvais moments. Les mécaniques fatales.

(La paranoïa n'est qu'une façon de plus de porter le moi.)

Les personnages d'abord, agités de vagues terreurs : se lever le matin (le cafard), se coucher le soir, le travail qui les attend on dirait sournoisement, délicieusement, les regards qui les traversent, les fouillent (qui ça ? moi ?), les murs qu'on semble prendre plaisir à dresser sur leur chemin. Leur chemin, parlons-en ! Des galeries à creuser infatigablement, des avenues de méprises.

C'est dans l'écho (le marché noir ?) qu'il faut chercher ce qui suit : des galeries à creuser infatigablement, des avenues de mépris. – Charles, vous êtes distrait : méprise ≠ mépris. Si vous n'écoutez pas bien, vous n'arriverez jamais à rien avec la prononciation. C'est difficile, je sais, mais je sais aussi que vous pouvez réussir.

Mais, mademoiselle l'institutrice, il y a tant de mots qui se ressemblent. Et même ceux qui ne se ressemblent pas, je les confonds. Ma langue natale, le français, l'anglais, la Guerre, je ne m'y retrouve pas toujours. Mais je sais ce qu'est le mépris. (L'ouvrier Löwy entre à l'atelier et on lui demande de reprendre ses calculs, de réajuster sa machine et de changer de ton. Tu le connais le prix du métal ?)

Des personnages discrets, des comportements d'animal minutieux plein la classe de langue, plein le métro. Surtout ne pas attirer l'attention. Prenons K. Löwy, il ne lui viendrait pas à l'idée qu'il puisse rencontrer quelqu'un qu'il connaît. Il a tout laissé derrière lui, là-bas, et l'institutrice ne prend jamais le métro, elle préfère la voiture. Pourtant, quelqu'un (un autre) pourrait survenir : « Vous êtes bien le dénommé Karl Löwy ? » Et tout de suite il s'excuserait en disant que c'est par pure négligence et non par mauvaise volonté qu'il n'a pas changé de nom (Charles Louis, Charles Lui, Charlie Lewis, c'est selon, mais pas Lévy, jamais).

Il faudrait idéalement pouvoir faire face à n'importe quelle situation. Mais prendrait-il des dispositions en ce sens (d'ailleurs il s'efforce de le faire) qu'il se trouverait néanmoins pris par surprise à la première occasion : élocution difficile, introversion caractérisée, les mots tchèques qui se substituent au français, un perceptible tremblement de paupière – c'est difficile, vous savez, tout dépend des cas, je m'efforce d'écouter davantage, je sais que je peux y arriver.

Le moins que l'on puisse dire, c'est que Löwy connaît ses faiblesses, son temps de réaction par exemple (dès la petite école, cette teigne de Mirko en tirait avantage), sa tendance à triturer son sac à lunch quand on l'interpelle. Il préfère donc la dissimulation : s'il n'est pas repéré, il n'est pas abordé. Logique. Il est toujours aux aguets. De temps en temps, à intervalles réguliers, il entre dans le métro, à la station Georges-Louis-Bourget, d'un pas naturel il passe devant le grand panneau de chrome (d'aluminium) qui fait face à l'escalier mécanique. Tout d'un coup, il s'esquive et se terre dans un coin du corridor. De là, il regarde son image qui continue d'avancer dans la surface réfléchissante. Chaque fois, elle se laisse prendre.

Ce n'est pas de paranoïa qu'il faut parler mais des conditions de son existence. Hors sujet – ce n'est déjà plus de la paranoïa dès lors qu'on la nomme. Mais en attendant il arrive que des sujets soient interpellés. On les reconnaît au premier coup d'œil : à l'accusation de paranoïa, ils opposent d'abord la dénégation. Ils finissent par admettre (*évidemment il est des ruses si subtiles qu'elles se contrecarrent elles-mêmes* – Franz K., « Le terrier »). Des chiens errants qui n'oublient pas la voix bourrue du maître même s'ils ne l'ont jamais entendue. Des gens comme Lui ne croient pas avoir un destin exemplaire. Ils auraient trop peur qu'on s'intéresse à eux. À intervalles réguliers, il entre dans le métro, il passe devant un grand panneau de métal. Tout à coup il s'esquive et se terre. Du terrier il regarde son image partir, il voudrait que ce soit l'autre, le paranoïaque, Lui qui s'en aille. Parfois dans les galeries souterraines, c'est une locomotive Gölsdorf à crémaillère qui tire les voitures, de celles que l'on voyait à Vienne au début du siècle. Elle s'arrête, exhale de sa cheminée un râlement fuligineux. Pour peu l'air manquerait. Sur le quai, un appareil téléphonique *qui ne reçoit pas les appels.*

Phénomène particulier, il n'est pas possible d'y prendre le métro, le portillon automatique qui s'ouvre dans un seul sens l'interdit. K. Löwy descend, remonte le quai jusqu'au portillon qui s'ouvre devant lui. Un sens ou l'autre, monter descendre, le matin le soir, il ne fait pas tellement la différence, les mêmes yeux torves, les mêmes rides au front, sur un grand panneau réfléchissant, la même image docile et crédule. Ils font un bout de chemin côte à côte. Lui pense au lendemain à l'atelier, c'est-à-dire à aujourd'hui. Lui aussi. Au bout du couloir, ils ne se saluent pas. Sur la voie, la Gölsdorf crache à nouveau et c'est tout juste si l'on peut lire le nom de la station inscrit dans l'émail, *Station Franz-Kafka.*

(*Le fragment s'arrête ici.*)

Faut-il lire Kundera ?

Suivant son habitude des dernières semaines, il lit en buvant à petites gorgées une bière à *La Grande Ourse*. La faune y mouille depuis peu et il estime en être. Il s'est installé près de la porte comme toujours en cette fin d'après-midi de façon à ne rien perdre des allées et venues. La conjoncture est plutôt favorable au cognac. La prochaine fois, s'est-il promis.

Il aurait aimé relire *Le Horla* ou *William Wilson*. Comme ça. Peut-être une flaque de neige très blanche, miraculeuse, oubliée sur la chaussée ruisselante en venant, peut-être le vent de l'invisible, sa façon de lui battre les cheveux sous la casquette, il ne sait pas. Il s'y est pourtant refusé : retourner à la maison, chambarder l'après-midi, amputer l'heure de lecture, non, et puis la neige a sans doute été maculée, le vent a dû tourner, les prétextes ne tiennent plus. Et – tout bas dans la conscience – la crainte de rencontrer quelqu'un qui compte. Passe toujours d'être abordé un Poe dans la poche, on peut alléguer une touchante sentimentalité, mieux, raconter la triste histoire d'un écrivain

américain méprisé par les siens – les sots. Mais
Maupassant, ça ne pardonne pas !

Il a plutôt apporté un Kundera trouvé en solde
dans un état tel qu'on peut deviner que son précédent propriétaire ne l'a jamais ouvert. Édition
française originale. Petit plaisir de bouquiniste à
l'époque du poche. Pas *L'insoutenable,* bien sûr.
C'est bien assez de lire les calembours dont on
remplit les journaux littéraires – quoique avec *Le
déclin* le front calembourgeois se soit déplacé...

Que quelqu'un vienne à le remarquer, le
salue, qu'est-ce que tu lis ? Kundera, c'est-à-dire
Diderot, l'autre un peu interloqué, lui pourrait enchaîner sur la distanciation, l'humour slave porté
comme une arme, pense au *Brave soldat Machin,*
tu savais que le mot *robot* vient du tchèque, enfin
du slave, *travail forcé,* quelque chose dans le
genre, et Kundera maintenant, héritier de tout un
siècle de, relais du XVIIIᵉ, chantre, etc.

Tout à la composition de la scène, il n'a prêté
aucune attention à la présence toute proche d'un
client qui lui tourne le dos. C'est bien la peine
de s'installer dans le courant d'air pour ne rater
aucun visage et n'être à l'écart d'aucun regard.
Decrescendo de la pensée : peut-être est-ce la
voix demandant une autre bière froide qui la lui
révèle, le soustrait à Kundera et à la discussion
qu'il mitonnait.

Cette voix, cette manière un peu agaçante de
faire vibrer les *r*, il ne l'a jamais entendue auparavant. Mais une semblable. Pas un ami, peut-être

bien à *La Grande Ourse*, hier un consommateur réclamant un dry Martini. Ce pourrait tout aussi bien être une voix infecte de post-synchro à la télé au retour du bar, le souvenir d'un prof de trigo, bref quelque chose d'énervant qui s'abat sur Kundera. Kundera étranger comme s'il s'agissait d'une édition tchèque, les mots impuissants à lever l'ancre, la platitude, l'insoutenable platitude – sacrebleu, la contamination des journaux, l'après-midi gâché, Kundera impénétrable, gaspillé. Pas question de revenir à *La Grande Ourse* avec le même livre, ça jamais.

Lecteur de café acharné, il sait à quel point un détail anodin tourne volontiers à l'énigme, à l'obstruction. Il vaut mieux renoncer au livre, à la lutte, chercher discrètement le nouvel indice qui lui permettra de reconstituer le réseau de similitudes amorcé par la voix trop brièvement entendue. De toute manière, il n'a plus le choix, il ne pourra plus rien faire, même pas prendre plaisir à sa bière tant qu'il n'aura pas résolu le mystère de la voix. Et puis ce genre d'exercice c'est parfois très riche, ça permet le retour en soi dans des zones oubliées, ça stimule la mémoire, l'observation. Etc. pour se dédommager du Kundera raté.

Sitôt servi, l'autre a regagné son imposante immobilité. De toute évidence, chez lui aussi la bière accompagne la lecture. À la différence près que nul bruit, nul mouvement des clients ne semble le distraire, lui. Tout au plus, de temps en temps, le geste court de porter le verre aux lèvres.

Ce mouvement ramassé attire l'attention sur sa nuque. Nuque pâle sous les cheveux fous. Puis ce qu'on voit d'un barbu qui vous tourne le dos : des étamines fauves repues de lumière rousse. Il reste donc des barbus à part moi, pense le barbu au-dessus du Kundera. Kundera a-t-il déjà porté la barbe ?

La sensation engloutie n'arrive pas à faire surface. Il continue de fixer la nuque, elle va parler, comme si cette lumière cuivrée appartenait à une zone inexplorée de sa connaissance intime. Et pourtant non. La voie du dedans, implacable de lenteur. N'avoir que la patience pour la retracer. Et à tout instant le risque de se retrouver à la case zéro.

L'autre bouge enfin, se lève, prend la direction des toilettes, sa bière à moitié bue. Cette façon de traîner les savates, de marcher comme à dessein de se faire réformer pour pieds plats. La tête qui s'enfouit presque entre les épaules pour mieux fixer le fascinant carrelage du plancher. Parce que des démarches comme celle-là existent, on conçoit qu'il y ait des escaliers mécaniques dans les endroits publics !

Il regrette aussitôt ses sarcasmes. Ce maigre plaisir ne fait que retarder l'ajustement focal de sa conscience. Il s'esquive, d'accord, il n'est pas au fait du jeu qui plane sur sa tête, il ne sait rien de la fascination – correction : de la curiosité – qu'il provoque. Mais il s'enfuit, il résiste sans même savoir. Dans quelques secondes il reviendra, on pourra voir son visage, mais le plaisir n'y sera pas. C'est tout de suite qu'il faut résoudre l'énigme. Sans *deus ex machina.*

Le livre de l'inconnu est resté sur sa table. L'indice de la dernière chance ? Laisser intentionnellement tomber son briquet pour qu'il roule en direction de l'autre table, s'approcher suffisamment pour que se détachent les lettres blanches sur la couverture fuchsia : *La résurrection de Rocambole* de Ponson du Terrail ! Pauvre type ! La serveuse a dû se marrer. Ça expliquerait tout : j'ai dû confondre monsieur avec Bob Morane...

La porte du fond s'ouvre. N'empêche que l'autre va revenir avant qu'il ait pu lui donner un visage, une circonstance, un nom et que c'est du gugusse au *Rocambole* que viendra la réponse : la démarche ouverte, le dos légèrement voûté, les doigts en mouvement comme sur un invisible clavier, les cheveux impossibles à peigner, le teint pâle sous la barbe. Le gugusse au Kundera est stupéfait : sacrebleu, c'est moi. C'est lui, même la manière de se lisser la moustache pour éviter qu'elle ne chatouille le nez. Les traits, les tics jusque-là inconnus qu'on repère en une seconde, affûtés comme des trahisons. Sa propre démarche de canard vue pour la première fois. La terrible évidence. Kundera, c'est-à-dire *Rocambole,* l'autre un peu interloqué qui pourrait enchaîner sur la distanciation, je, il, j'il, très bien merci, ça suffit, dans la voix étouffée qui réclame à la serveuse une autre bière froide et qu'il entend comme pour la première fois, il reconnaît sa propre voix, mais. Normal, il l'entend du dehors.

L'autre s'est rassis devant sa bière, sans autre préoccupation que de se livrer à Rocambole, à ses œuvres et à ses pompes. Il n'a pas paru interloqué, il ne paraît rien, il lit. Établir le contact ? Se rendre à sa table, ne rien dire de Kundera, hum, excusez-moi monsieur, vous êtes mon sosie, ou plutôt je suis votre sosie, mon numéro d'assurance sociale est, il y a des jours où je songe à me raser ? Non mais. Le repli sur les toilettes. Il se lève avec bruit, renverse presque sa chaise, s'en excuse à voix basse sans que Rocambole ne lui accorde de retour la moindre marque d'attention.

Il profite de la trêve pour s'éponger le visage à l'eau froide. L'homme du miroir cherche l'attitude à prendre, il lui dit qu'il a déjà lu ça quelque part, que ces histoires-là finissent toujours devant une glace. Il remarque à quel point le port de la casquette trace une couronne sous laquelle ses cheveux se hérissent comme des cornes. L'autre pas, enfin ça ne l'a pas frappé chez le gars de la table à côté. Des cheveux rébarbatifs, tumultueux comme il voudrait parfois les avoir.

À la table près du bar, un client arrivé à la fin de son chapitre achève sa bière d'une seule gorgée. Déjà il se dirige vers la porte, cale sa tuque en pensant à l'air froid et humide des fins d'après-midi à l'heure où le soleil se couche. Arrivé à la table près de la porte, un sourire sous sa moustache, il se dit que décidément il y a des gens qui retardent : Kundera, c'était il y a quinze ans.

La confession d'un bibliomane

Ce n'est pas que je mette en doute le bien-fondé de mon internement. Je sais, j'ai eu du mal à m'y résoudre et cela m'a valu une assez triste réputation ici. Il faut me comprendre : on me convoque à un examen médical de routine et là on m'apprend que je souffre d'une maladie grave qui nécessite la mise en quarantaine *immédiate*. Je demande : le cancer ? – Non, la bibliomanie.

Je pense avoir fait amende honorable depuis ce jour. Les portes de la connaissance se sont entrouvertes devant moi et j'en suis très reconnaissant. Mais, ce jour-là, c'était plus fort que moi, j'ai protesté, j'ai dû crier, je n'en croyais pas mes oreilles ! Jamais je n'aurais soupçonné que la – comment dire ? – *fréquentation* des livres pût être considérée d'un point de vue pathologique. C'est vrai qu'à mesure que la science progresse, il se déclare plein de nouvelles maladies, mais la bibliomanie, ça alors ! J'étais hors de moi : Kafka, Orwell, Bradbury et tout le bataclan !

Le professeur Bigle a assisté à la crise sans broncher, de sorte que j'ai bien dû me calmer.

« Mon cher Pellerin, vous voudrez bien considérer *dans un premier temps...* »

(Dieu que je déteste cette locution.)

« ... que toute votre argumentation tient de la paranoïa la plus classique et la plus éculée, une paranoïa apprise dans les livres, soit dit en passant. Il ne vous arrive donc jamais de penser par vous-même ? Vous préférez voir partout les marques du totalitarisme mécanisé et nourrir votre aigreur des récits farfelus de quelques... – excusez ma franchise – *malades.* Entre nous, le bulletin de santé de Kafka, quelle belle référence ! »

Je me suis lancé dans une confuse explication de la paranoïa *justifiée.* Le four ! Le cul-de-sac ! Le docteur m'a alors décrit les symptômes et propriétés de la bibliomanie. J'ai dû reconnaître que j'étais sérieusement atteint. Il a commencé par me tracer l'histoire précise de ma myopie. J'étais atterré, tout tombait en place sans hésitation, sans erreur : aucune prédisposition héréditaire, les samedis de beau temps passés seul dans ma chambre à lire. J'avais dix, douze, quinze, dix-huit ans et je mettais des noms sur chaque stade de la progression du mal : une *Histoire du Canada* dont j'ai tout oublié, *L'île mystérieuse, Fantômas, Werther, Le Horla.*

C'est plus tard que l'appartement a commencé à rapetisser. Le bureau d'abord, au point de ne laisser qu'un corridor entre la table de travail et la fenêtre. Puis le salon, mur ouest, mur sud. Et la chambre à coucher. Je l'avoue maintenant : par moments j'étais affolé, je songeais à déménager, mais quelque chose d'indicible finissait par me retenir dans mon petit quatre-et-demi.

Est venu le temps de remplir la fiche d'inscription.

«Derniers emplois ?»

Je travaillais alors à *Nuit blanche.* J'ai bien vu qu'il ne connaissait pas la revue. Il n'y a rien de mal à ça. Les collègues et moi, question de ne pas se prendre au sérieux, on se disait que des millions de Québécois n'en connaissent pas l'existence. Le docteur n'a pas le même sens de l'humour que moi.

«Sincèrement, vous ne trouvez pas ça pathologique, vous, un nom comme ça, *Nuit blanche ?*»

Je n'avais jamais considéré les choses sous cet angle. J'ai préféré ne pas mentionner qu'au bureau nous étions cernés par les bibliothèques...

«Et auparavant ?»

Ce n'est pas plus brillant.

«J'étais libraire... – j'ai hésité – ... chez Pantoute.

– De mieux en mieux... *Pantoute*... toujours cet esprit foncièrement positif et le goût un peu tape-à-1'œil pour les noms gratinés. Je ne vous cache pas, Pellerin, que la côte sera longue à remonter. Par bouts, vous aurez envie de tout lâcher et de retourner à vos funestes habitudes. Il vous faudra du courage !»

Le jour même, j'étais admis au C.D., le Centre de Désintoxication. Ils nous ont réunis dans la grande salle et là il fallait se tenir par la main, pour réapprendre le contact charnel avec nos frères et nos sœurs. Puis le yoga, l'aérobique et le hockey (optionnel). Au début, j'avais mal partout mais mon corps a bien réagi : je suis en forme comme jamais et je me suis surpris à descendre spontanément au terrain de badminton dans une heure creuse alors qu'auparavant j'aurais ouvert un livre.

La suite du traitement a été difficile. Déjà que chaque soir, dans ma chambre, je dois écrire tout ce qui me passe par la tête au sujet de la cure. Mais là il a fallu que chacun d'entre nous passe aux aveux devant tout le groupe. Je ne cherchais pas à me disculper quand j'ai dit que je croyais bénéficier de circonstances atténuantes : *Capitale de la douleur, Octaèdre, Les grandes marées, L'emploi du temps, La survie, Chroniques martiennes, Visions d'Anna*. J'étais lancé, j'en perdais le souffle. Les autres se sont mis à hurler. Vite un livre ! Tout le monde en voulait. Une vieille dame en est morte. J'ai été envoyé au trou. Jamais je ne me pardonnerai la mort de cette femme. Par la suite, j'ai accepté de raconter sans détour toute ma déchéance. J'ai avoué : comme libraire et comme chroniqueur littéraire, j'étais devenu un agent de contagion. Les autres ont pleuré, ils m'ont dit qu'ils étaient fiers de moi, de ma profonde volonté de réhabilitation, ils m'ont pris dans leurs bras. «Tout ça c'est du passé.»

Je le répète: je ne voudrais pas passer pour la grosse tête, mais le prochain traitement m'effraie. J'ai vu *Orange mécanique* (tiens, je ne l'ai pas lu!) et j'ai peur de savoir ce qui m'attend. Si je suis guéri, je vais passer par les nausées et les convulsions, tout mon corps va souffrir effroyablement. Si je ne le suis pas, peut-être que je vais claquer, comme la vieille dame. Est-ce qu'il viendrait à l'idée d'un thérapeute de demander à un A.A. de chanter les vertus du Bloody Mary? Alors pourquoi me demander de faire l'éloge de la lecture devant tout le monde?

Titres en poche chez le même éditeur

ACHEVÉ D'IMPRIMER
EN JANVIER 2004
SUR LES PRESSES DE AGMV-MARQUIS
MONTMAGNY, CANADA